Le parfum des roses

Barbara Cartland est une romancière anglaise dont la réputation n'est plus à faire.

Ses romans variés et passionnants mêlent avec bonheur aventures et amour.

Vous retrouverez tous les titres disponibles dans le catalogue que vous remettra gratuitement votre libraire.

Barbara Cartland

Le parfum des roses

Traduit de l'anglais
par Catherine Berthet

Éditions J'ai lu

Titre original :

THE SCENT OF ROSES
Mandarin Paperbacks, London

NOTE DE L'AUTEUR

Le tsar Alexandre II était peu enclin à faire la guerre. Mais la tsarine n'avait de cesse que Constantinople soit rétablie dans son ancienne splendeur de capitale du monde chrétien. A cela, s'ajoutait le rêve séculaire des tsars, de faire franchir à leurs navires le détroit des Dardanelles et d'ouvrir ainsi à l'empire les portes de la Méditerranée.

En 1875, la Serbie déclara la guerre à la Turquie. Des milliers de volontaires russes déferlèrent à Belgrade, afin de prêter main-forte aux Serbes. Les représailles turques furent terribles. Un diplomate britannique déclara qu'il s'agissait du « crime le plus épouvantable du XIXe siècle ».

En Grande-Bretagne, Mr. Gladstone, alors leader de l'opposition, défendit avec éloquence la cause bulgare.

Cependant, lord Beaconsfield, le Premier ministre, était conscient que les Russes poursuivaient un objectif précis : prendre Constantinople. Seule une intervention de la Grande-Bretagne pourrait les tenir en échec.

Influencé par son frère le grand-duc Nicolas et par la tsarine, le tsar déclara la guerre à la Turquie au printemps 1877, c'est-à-dire au moment même où commence notre histoire.

Le déploiement des forces britanniques suggéré par le marquis eut réellement lieu. Le conflit dura neuf mois. Mais grâce à la Grande-Bretagne, les Russes ne purent jamais investir Constantinople et leur flotte ne parvint pas à prendre le contrôle de la Méditerranée.

C'est avec une immense satisfaction que lord Beaconsfield rapporta à la reine Victoria les paroles du prince Gorchakov : « Nous avons sacrifié cent mille soldats d'élite et cent millions de livres en vain ! »

L'entreprise russe avait échoué.

Lorsque j'ai visité Cuzco en 1977, j'y ai vu des dizaines de tableaux du XVIIe siècle abandonnés au milieu des églises en ruine. Nul, jusqu'à présent, ne s'y est intéressé. Quant à « La Madone des Roses », elle se trouve aujourd'hui au Wallraf-Richartz Museum, à Cologne.

1

1877

Nikola traversa une allée bordée de tilleuls et lança à l'imposante demeure qui lui faisait face un regard admiratif. Bâtie sous le règne de Henry VIII, « King's Keep » appartenait à sa famille depuis plusieurs générations. La reine Elisabeth elle-même l'avait parfois utilisée comme pied-à-terre, lors de fameuses parties de chasse organisées sous son règne. Il se dégageait de ce bâtiment, sobre et pourtant gracieux, de ses dépendances, des jardins agrémentés de statues et de fontaines, un charme qui impressionnait les visiteurs. Assurément, l'histoire avait marqué ces lieux de son empreinte et Nikola n'eût pas été surprise d'y rencontrer les fantômes des grands personnages qui y avaient vécu. Son frère James avait toujours été amoureux de cette maison. Il n'y avait là rien de bien étonnant, songea-t-elle avec un sourire.

« Si tu te maries un jour, ton épouse aura plus d'une raison d'être jalouse de King's Keep ! » lui disait-elle quelquefois en riant.

« Tu as peut-être raison. » Mais il ajoutait aussitôt, alors que son regard exprimait une détermination farouche :

« Vois-tu, cette maison représente quelque chose de sacré pour moi. Outre que sa beauté est une source inépuisable de plaisir, elle témoigne du rang que tenait notre famille et je ferai tout ce qui est en mon pouvoir pour lui rendre son ancien prestige. »

Depuis qu'il était petit garçon, James avait toujours parlé ainsi et il était prêt à tout pour tenir sa promesse. Jusqu'où irait-il donc ? se demanda Nikola en frissonnant. Avec un brin d'anxiété, elle guetta la grille d'entrée par laquelle il devait arriver. Qu'allait-il lui annoncer, aujourd'hui ?

— Nous ne pourrons continuer longtemps ainsi, murmura-t-elle en tournant son regard vers la maison. Qu'adviendra-t-il de nous ?

Les yeux posés sur l'harmonieuse façade aux tons ocres, elle adressa à sa mère une prière silencieuse qui la réconforta. Elle comprendrait mieux que quiconque à quel point la conduite de James était dangereuse et, de là-haut, elle le protégerait, songea Nikola, les larmes aux yeux.

Pauvre James ! Chaque fois qu'elle pensait à ce qu'il avait fait, son cœur se serrait de compassion. C'était un déchirement pour lui que de voir la maison se dégrader ainsi, au fil des ans. Mais depuis la mort de leurs parents l'argent manquait et il devenait de plus en plus difficile d'entretenir la vieille bâtisse.

Sir James Tancombe était le dixième baronnet de sa lignée et il était excessivement fier de sa naissance. Si par malheur King's Keep échappait à leur famille, il en mourrait de chagrin.

Ils avaient très peu de domestiques et Nikola les aidait de son mieux, travaillant sans relâche du matin au soir. Si un meuble n'était pas convenablement ciré, si l'un des vieux rideaux de dentelle avait le moindre accroc, James ne manquait jamais de s'en apercevoir. Et cela l'emplissait d'une telle tristesse que Nikola en avait le cœur serré.

Ce matin, en l'honneur de son retour, elle avait elle-même inspecté chaque pièce de la maison et s'était assurée que tout était parfaitement en ordre. Avec un soupir, elle repensa à l'expression douloureuse qu'elle avait décelée dans les yeux de son frère, lorsque le plafond de l'une des chambres avait été endommagé par la pluie, l'hiver précédent. Pendant de longs mois, par la suite, ils s'étaient privés de tout afin de faire réparer les dégâts. Mais les économies réalisées à grand-peine s'étaient révélées insuffisantes.

— Cela ne peut pas durer ! s'était exclamé James, furieux. Je sais maintenant ce qu'il me reste à faire !

Nikola s'était contentée de hausser les sourcils, perplexe. Comment son frère pouvait-il espérer trouver une solution à pareil problème ? Une semaine auparavant, il avait eu une discussion orageuse avec l'un de leurs cousins qui avait refusé catégoriquement de leur prêter de l'argent une fois de plus.

— Inutile d'insister, James ! s'était-il écrié. Je ne peux vous aider davantage. Il faudra te résoudre à vendre King's Keep. Après tout, ce n'est qu'une maison !

Nikola avait vu une lueur de colère briller dans les yeux de son frère. Elle seule savait ce que King's Keep représentait pour lui. Autrefois, lorsqu'il revenait de l'école pour les vacances, il sautait de joie en arrivant à la maison.

— Je suis enfin de retour ! criait-il en franchissant la porte. Je suis chez moi ! Chez moi ! Dans ma maison !

Pendant toutes ses années de pension, ses parents

lui avaient moins manqué que son cher King's Keep ! Cette demeure était tout pour lui. Un univers plein de recoins, de mystères, de cachettes, un jardin enchanté où son âme d'enfant secret et impressionnable trouvait matière à d'innombrables rêveries. Enfin, c'était la demeure de ses ancêtres et il éprouvait une fierté extraordinaire à conserver au manoir des Tancombe sa splendeur passée !

Nikola eut un sourire amer. Qu'auraient pensé son père et sa mère, s'ils avaient connu les agissements actuels de James ? Sa conduite leur aurait sans nul doute paru inqualifiable. Le front soucieux, elle revit les événements de ces derniers mois.

Peu de temps après la querelle qui l'avait opposé à son cousin, James avait décidé d'aller rendre visite à l'une de leurs vieilles tantes. Naturellement, Nikola l'accompagnait. Leur tante Alice, la sœur de leur père, était née Tancombe. Mais elle avait épousé lord Hartley, qui était mort quelques années plus tôt en lui léguant toute sa fortune. Bien qu'excessivement riche, la vieille dame était d'une avarice sordide.

Jamais elle n'accepterait de les aider ! se dit Nikola, lorsque James lui fit part de ses intentions.

Néanmoins, elle n'osa protester et ils prirent la route le lendemain matin. Le voyage fut si long et si pénible, que Nikola regretta plus d'une fois d'avoir accompagné Jimmy. Si seulement celui-ci trouvait un moyen de convaincre leur tante ! Au moins n'auraient-ils pas fait ce trajet en vain !

Anxieuse, la jeune femme passa en revue les nombreuses réparations à accomplir de toute urgence à King's Keep. La toiture était en mauvais état et menaçait même de s'écrouler par endroits. Les boiseries du salon étaient vermoulues. Tôt ou tard, il faudrait les remplacer. Quant aux chambres du premier étage, le parquet s'était déjà effondré dans plusieurs d'entre elles !

Pauvre James ! songea Nikola avec un profond soupir. Il perdait son temps s'il espérait fléchir tante Alice. Son charme n'agirait pas sur elle comme sur les autres femmes ! Il y avait fort à parier que leur vieille parente ne se laisserait pas soutirer un sou.

— Mon cher Jimmy, j'ai bien peur que notre visite ne soit inutile, déclara-t-elle avec douceur. Tu sais combien Tante Alice est avare pour elle-même et pour sa maisonnée. La dernière fois que nous avons séjourné chez elle, Nanny, sa pauvre gouvernante, s'est plainte du manque de nourriture ! « Lady Hartley refuse même de chauffer convenablement les quartiers des domestiques. »

— Je sais cela.

— Tante Alice ne donne pas le moindre penny aux œuvres de charité. Nanny m'a raconté qu'elle a même renoncé à fleurir la tombe de son mari par mesure d'économie !

Jimmy éclata de rire.

— Je pensais avoir tout entendu sur l'avarice de Tante Alice, mais j'ignorais ce détail !

— Penses-tu vraiment la persuader de nous prêter de l'argent ?

— Je n'ai pas l'intention de lui demander le moindre penny !

Nikola considéra son frère avec stupéfaction.

— Vraiment ? Mais... quel est donc le but de cette visite ?

— Je t'expliquerai cela plus tard, répliqua James d'un ton évasif.

Après une journée épuisante, ils parvinrent enfin en vue d'un imposant manoir, à l'allure sombre et rébarbative. La demeure de Tante Alice était entourée d'un parc immense et fort mal entretenu, car lady Hartley se contentait d'un seul jardinier, alors que son mari en avait employé dix !

Un maître d'hôtel revêtu d'une livrée élimée vint leur ouvrir la porte. Nikola remarqua avec une moue désapprobatrice le gilet en lambeaux que portait le valet de pied. Celui-ci saisit leurs bagages avec mauvaise grâce.

Pourquoi Jimmy tenait-il tant à séjourner dans ce manoir sinistre ? se demanda-t-elle en pénétrant dans le salon où leur tante les attendait.

— Vous voilà ! s'exclama la vieille dame. Je suis... enchantée de vous voir. Bien que votre visite occasionne beaucoup de travail supplémentaire pour mon personnel !

Nullement troublé par cet accueil peu chaleureux, James arbora son sourire le plus charmeur.

— Il y a bien longtemps que nous ne vous avions rendu visite, chère Tante Alice ! En tant qu'héritier du nom des Tancombe, j'estime qu'il est de mon devoir de maintenir les liens qui unissent notre famille.

— Personnellement, je n'attache aucune importance à ce genre de formalité, rétorqua sèchement lady Hartley. Mais puisque vous êtes là, je suppose que vous prendrez volontiers un verre de sherry ?

— Avec grand plaisir ! Après un aussi long voyage sur ces routes poussiéreuses, un rafraîchissement sera le bienvenu.

On servit à James un minuscule verre de sherry qu'il avala en trois gorgées. N'étant qu'une jeune fille, Nikola n'eut pas droit à tant d'égards. Elle dut se contenter de boire un verre d'eau dans sa chambre, lorsqu'elle monta se changer pour le dîner.

Le repas fut des plus modestes. Il se composait

d'un unique poulet provenant de la ferme du domaine. Jimmy eut droit à un mauvais vin blanc servi avec parcimonie et à un verre de porto après le dîner. Malgré l'évident manque de générosité de leur tante, il ne se départit à aucun moment de son sourire et se montra charmant envers lady Hartley. Celle-ci accepta ses compliments avec une vanité mêlée d'une certaine méfiance.

— J'ignorais que vous possédiez autant de tableaux, Tante Alice ! s'exclama James lorsqu'ils passèrent au salon. Et je dois avouer que votre collection de tabatières est impressionnante.

Lady Hartley haussa les épaules d'un air méprisant.

— Je n'ai jamais apprécié ces collections de bibelots inutiles. Mais votre Oncle Edward adorait dépenser de l'argent pour des objets qui n'intéressaient que lui !

— Je dois avouer qu'ils m'intéressent également, déclara James. Aussi, si vous n'y voyez pas d'inconvénient, je vais aller admirer tous les trésors qu'Oncle Edward a si patiemment rassemblés pendant des années.

— Il me semble pourtant que vous possédez vous-même suffisamment de « trésors » à King's Keep ! répliqua vertement Tante Alice.

Sans paraître remarquer le ton acerbe sur lequel sa tante s'était exprimée, James se leva et commença à faire le tour de la pièce.

— Ma chère tante, on ne se lasse jamais des belles choses, répondit-il simplement, en admirant les tableaux et les tabatières enfermées dans de riches vitrines.

Au bout de quelques minutes, il demanda l'autorisation d'explorer les autres pièces du manoir et sortit. Tante Alice en profita pour entretenir Nikola de ses problèmes domestiques. L'incompétence de certaines femmes de chambre la mettait hors d'elle. Pas plus tard que la semaine dernière, l'une d'entre elles avait jeté un vieux drap pour ne pas avoir à le raccommoder !

Jimmy resta un long moment absent et Nikola se demanda ce qui pouvait bien l'intéresser dans cette demeure lugubre. Si ces sombres murailles recelaient des chefs-d'œuvre, ceux-ci n'étaient guère mis en valeur par l'éclairage mesquin, ni par les vieilles tapisseries miteuses et délavées. Enfin, Jimmy revint au salon et complimenta Tante Alice sur sa demeure.

— Je vous félicite, ma Tante ! L'intérieur de votre manoir est un enchantement pour un amateur d'œuvres d'art tel que moi. Mais quel dommage qu'un si grand nombre de chambres soient fermées !

— Mes moyens ne me permettent pas de mener grand train et de recevoir des invités, comme cela se voit dans certaines maisons. D'ailleurs, les mondanités ne m'intéressent pas. Je n'ai que faire des bals et des réceptions organisés par de richissimes oisifs !

Nikola sourit timidement.

— J'aimerais tant aller au bal ! L'année prochaine, lorsque notre période de deuil sera terminée, cela sera peut-être possible.

— Ma petite, inutile de vous faire des illusions ! Vous n'aurez jamais les moyens de passer une Saison à Londres, décréta lady Hartley d'un ton pincé. Une amie m'a avoué récemment combien lui avait coûté le trousseau de débutante de sa fille. Et le croiriez-vous ? Malgré tout le mal que s'était donné sa mère, cette petite dinde n'a pas eu une seule demande en mariage !

— Ses parents espéraient-ils... qu'elle trouve un mari ? demanda Nikola d'une voix hésitante.

— Naturellement ! Mais je ne suis pas étonnée que les jeunes filles d'aujourd'hui aient tant de mal à se caser, elles sont si...

Nikola n'écoutait plus. Elle connaissait par cœur l'opinion de Tante Alice sur la nouvelle génération.

— Tant d'impertinence et de prétention ! continua la vieille dame d'un ton aigre.

Nikola réprima un soupir. Il était inutile de poursuivre la conversation. Une chose était certaine : si elle désirait faire ses débuts dans la haute société londonienne, sa tante ne lui serait d'aucune aide. En fait, songea-t-elle avec un sourire ironique, elle ne lui offrirait même pas une paire de bas ou un jupon !

Mais était-ce dans l'espoir que Tante Alice lui fournirait un trousseau, que James avait tant insisté pour lui rendre visite ? Dans ce cas, elle aurait pu lui expliquer tout de suite qu'il perdait son temps.

James et Nikola prirent congé le lendemain matin. Leur tante était manifestement enchantée de les voir partir.

— J'espère que nous aurons le plaisir de vous voir bientôt à King's Keep, déclara James, poliment.

— C'est beaucoup trop loin pour mes chevaux, répliqua lady Hartley avec une moue dédaigneuse. Cela les fatiguerait inutilement.

Lorsqu'ils se furent éloignés, Nikola se tourna vers son frère.

— J'espère que nous ne remettrons plus jamais les pieds chez tante Alice ! Les chambres y sont froides et inconfortables. J'ai grelotté toute la nuit. Quel soulagement ce sera de se retrouver enfin à King's Keep !

A sa grande surprise, elle vit que James arborait un sourire satisfait.

— Voyons, Jimmy ! Je ne peux pas croire que tu as apprécié ce séjour ! Je n'arrive pas à comprendre comment notre cher papa, qui était si bon et si généreux, pouvait bien avoir une sœur aussi pingre !

— Moi non plus. Tante Alice est vraiment très désagréable. Mais sa maison regorge de trésors.

— De trésors ? Veux-tu parler des tableaux ?

— Oncle Edward ne s'est pas trompé lorsqu'il les a achetés ! Je suis persuadé qu'ils valent à présent dix fois le prix qu'il les a payés. Sa collection est exceptionnelle !

Nikola se contenta de hausser les épaules d'un air désabusé.

— C'est possible. Mais je ne vois pas en quoi cela peut nous aider.

Jimmy ne répondit pas, se contentant de sourire d'un air énigmatique. Lorsqu'ils arrivèrent à King's Keep, dans la soirée, Nikola entreprit de réparer la tapisserie d'une chaise qui était en mauvais état. Soudain, Jimmy fit irruption dans le salon et elle leva vivement la tête de son ouvrage. Son frère avait changé de vêtements et il portait un paquet à la main.

— As-tu déjà défait tes valises ? s'enquit-elle d'un ton de reproche. Tu n'aurais pas dû te donner cette peine, je comptais le faire après le thé.

— J'étais impatient de te montrer quelque chose.

Tout en prononçant ces paroles, il déposa le paquet sur la table et commença de l'ouvrir. Intriguée, Nikola s'approcha et vit qu'il tenait entre ses mains deux ravissantes miniatures et une petite peinture à l'huile. Elle leva vers son frère un regard interrogateur.

— J'ai trouvé ce tableau dans l'une des chambres que Tante Alice tient fermée et n'utilise jamais, lui expliqua Jimmy.

— Les chambres... du premier étage ?

Nikola poussa un petit cri étouffé.

— Mais alors... il appartient à Tante Alice ! Oh, Jimmy ! Comment as-tu pu faire une chose pareille ?

— En réalité, c'était très facile ! Et je suis sûr que notre chère vieille tante ne s'en apercevra jamais !

— Jimmy ! Mais... c'est très malhonnête ! Qu'elle s'en aperçoive ou non, c'est du vol !

— Peut-être. Mais c'est pour la bonne cause. Cet argent nous servira à réparer la toiture.

Nikola lança à son frère un regard horrifié.

— Tu as l'intention de... le vendre ? Mais Jimmy, cela pourrait te conduire en prison !

— C'est un risque que je prends volontiers, pour préserver King's Keep. De toute façon, cette vieille avare de Tante Alice n'a pas idée de la fortune que ces objets d'art représentent. De plus, elle n'en fera jamais profiter qui que ce soit. Ces tableaux merveilleux sont enfermés dans des chambres poussiéreuses, où personne ne pénètre jamais !

Muette de stupeur, Nikola considéra longuement son frère. Qu'aurait pensé leur mère, si elle avait vu la façon dont il se comportait ? se demanda-t-elle, le cœur serré. Elle qui était d'une si scrupuleuse honnêteté ! Cet acte l'aurait horrifiée.

— Et... les miniatures ? balbutia-t-elle, au bout d'un instant.

— Je les ai découvertes dans le tiroir du bureau d'Oncle Edward. Il a dû les acheter juste avant de mourir et il n'a pas eu le temps de leur trouver une place dans la maison. Elles ont plus de deux cents ans, murmura-t-il en les effleurant légèrement du bout des doigts. Si je les revends, qui soupçonnera qu'elles lui appartenaient ?

— Imagine que... quelqu'un les reconnaisse ?

— Mais qui ? D'après ce que nous a dit Tante Alice elle-même, personne ne lui rend visite. Personne ne pourra donc deviner qu'elles proviennent de chez elle.

James vit le regard effaré que lui lança sa jeune sœur et il lui entoura affectueusement les épaules de son bras.

— Sois raisonnable, Nikola. Dis-toi bien que c'est pour sauver King's Keep que je fais tout cela !

— Mais... c'est mal. Je sais que c'est mal, James ! murmura Nikola d'une voix sourde.

— Alors... j'ai bien peur que ceci ne te bouleverse également.

Jimmy tira de sa poche un objet brillant et minuscule, qu'il fit rouler sur la paume de sa main. Nikola observa son frère d'un air affolé.

— Qu'est-ce donc ?

— Un diamant.

— Où l'as-tu trouvé ?

— Dans l'une des tabatières.

Nikola poussa un cri étranglé, mais Jimmy haussa les épaules avec désinvolture.

— Tante Alice ne s'apercevra sans doute jamais de sa disparition. Ou bien, elle pensera que la pierre a été égarée il y a des années. La plupart des gens finissent par oublier les objets qui les entourent.

Jimmy vendit les tableaux et le diamant. Avec la somme qu'il en retira, il fit réparer la toiture, les fenêtres et les parquets. Tout en regardant les ouvriers travailler, Nikola essayait de se persuader qu'il n'avait rien fait de mal. Après tout, cet argent leur servait à préserver un patrimoine familial et historique. Lorsque les réparations seraient terminées, James serait satisfait et elle essaierait d'oublier cette histoire. Mais la pensée qu'il avait commis une faute grave en emportant ces objets qui ne lui appartenaient pas la hantait sans cesse. Elle priait souvent, afin que James soit pardonné pour ce péché.

Quelque temps après le départ des ouvriers, Jimmy entra dans le salon alors que Nikola était occupée à sa broderie.

— Les rideaux du grand hall sont décolorés et élimés, déclara-t-il. Il faut s'en occuper.

— Nous n'avons certainement pas les moyens de les changer ! répondit Nikola.

Levant les yeux de son ouvrage, elle croisa le regard de son frère et pâlit en découvrant son expression déterminée.

— Oh non, Jimmy ! Tu ne penses pas...

James se détourna sans répondre, mais sa résolution était prise. Une semaine plus tard, il annonça à Nikola qu'ils iraient rendre visite à l'un de leurs parents, dans le Norfolk. Ce lointain cousin avait épousé une jeune femme fortunée, dont la famille roturière s'était enrichie en faisant du commerce. Leurs filles, qui n'étaient pas d'une grande beauté, étaient toutes deux en âge de se marier et ils voyaient sûrement dans la visite de sir James Tancombe, dixième du nom, une excellente occasion de caser l'une ou l'autre !

Aussi, l'accueil qu'on réserva à Nikola et à son frère fut-il très chaleureux. Contrairement à tante Alice, le colonel Arthur Tancombe et son épouse appréciaient le luxe. Quatre valets de pied se chargèrent des bagages des visiteurs et deux jeunes femmes de chambre furent affectées au service de Nikola.

Le colonel offrit une coupe de champagne à ses invités, après quoi ils passèrent dans la salle à manger où un somptueux dîner fut servi en leur honneur.

Les deux filles des Tancombe avaient été présentées à la cour l'année précédente. Le colonel et sa femme avaient donné un bal à Londres, pour célébrer leur entrée dans le monde. A présent, ils projetaient d'en organiser un autre dans leur maison du Norfolk. Quel dommage, songea Nikola, que les deux jeunes filles ne soient pas plus jolies ! Toutefois, elles n'étaient pas dénuées de grâce et se montrèrent très agréables envers leurs cousins.

Jimmy déploya des trésors de charme et entretint brillamment la conversation. Subjuguées par son aisance et ses manières affables, Mrs. Tancombe et ses filles le couvraient de regards admiratifs.

— Comment se fait-il que votre frère ne soit pas encore marié ? demanda Mrs. Tancombe à Nikola. C'est un jeune homme très séduisant !

— Hélas, il n'a pas de fortune.

— Mais les riches héritières cherchant un mari ne manquent pas ! fit remarquer son interlocutrice avec un sourire entendu.

Plus tard dans la soirée, elle confia à Nikola que leur fille aînée, Adélaïde, avait été demandée en mariage quelques mois auparavant. Son prétendant n'avait rien d'autre à offrir que son arbre généalogique.

— Malheureusement, sa famille n'avait aucun titre de noblesse, expliqua Mrs. Tancombe. D'autre part, ce monsieur avait déjà trente-neuf ans et nous avons pensé qu'il était vraiment trop vieux pour notre fille.

— J'espère qu'elle rencontrera quelqu'un d'autre, dont elle tombera amoureuse.

Mrs. Tancombe se mit à rire.

— Ma mère disait toujours que l'amour naissait après le mariage ! Mais j'ai eu beaucoup de chance.

Je suis tombée amoureuse de mon mari au premier regard.

Nikola observa le colonel et pensa qu'il était effectivement très séduisant. Il avait hérité des Tancombe ses traits virils et sa belle prestance. Hélas, ses deux filles ressemblaient à leur mère.

Grâce à la fortune de Mrs. Tancombe, le colonel et son épouse menaient un grand train de vie. Toutefois, les tableaux qui ornaient leur maison avaient été acquis par les ancêtres de Arthur Tancombe. Nikola remarqua que Jimmy les contemplait ostensiblement.

— Je suis content que ces peintures vous plaisent ! déclara le colonel. J'ai toujours regretté de ne pas avoir de fils pour perpétuer notre lignée.

— J'avoue que votre galerie de portraits est impressionnante. Mais je vois que vous possédez également une collection de tableaux de maîtres.

— Mon arrière grand-père était un collectionneur acharné. C'est lui qui a acheté cette maison. J'ai toujours pensé qu'il l'avait choisie à cause de l'espace dont il disposait pour y accrocher ses tableaux ! s'exclama le colonel en riant de bon cœur.

Encouragé par l'intérêt que Jimmy manifestait, Arthur Tancombe l'entraîna de pièce en pièce afin de lui faire admirer les chefs-d'œuvre que recelait la demeure. Dans l'un des boudoirs, Jimmy remarqua une collection de petits vases chinois.

— D'où viennent ces porcelaines ? s'enquit-il aussitôt.

— Un de nos cousins éloignés les a léguées à mon père. Je dois avouer que ces bibelots ne m'intéressent pas tellement. Je préfère la peinture.

— Moi aussi ! déclara Jimmy.

Ce séjour chez les Tancombe combla Nikola de joie et elle quitta ses cousines à regret.

Le surlendemain, lorsqu'ils furent de retour à King's Keep, Jimmy lui montra trois vases chinois d'une exquise beauté.

— Chacun provient d'une dynastie différente, lui expliqua-t-il fièrement. Celui-ci est Ming, celui-là Sung et le dernier est Ch'ing.

— Ont-ils beaucoup de valeur ? s'enquit-elle d'une voix blanche.

— Ils sont uniques... inestimables !

— Et... tu les as volés..., murmura la jeune femme, la gorge serrée.

— Leur propriétaire ne les appréciait même pas à leur juste valeur ! Pourquoi abandonner pareils trésors à quelqu'un qui est incapable de les admirer ?

— Mais... imagine que le colonel s'aperçoive qu'ils ont disparu ?

— C'est peu probable. Il ne s'intéresse qu'à ses tableaux et je suis sûr qu'il ignore combien de vases se trouvaient dans cette vitrine !

James paraissait si obstiné et si convaincu de son bon droit, que Nikoka renonça à discuter avec lui. Le jour suivant, il se rendit à Londres. Lorsqu'il revint, son visage était illuminé de joie. Un collectionneur de porcelaines orientales lui avait offert une somme considérable pour les trois vases.

— Il m'a avoué n'avoir jamais vu d'aussi beaux spécimens de l'art chinois ! s'exclama-t-il, transporté par son succès.

— Compte-t-il... les revendre ? interrogea Nikola avec une pointe d'inquiétude dans la voix.

— Non. Il souhaite les ajouter à sa collection personnelle.

Nikola poussa un soupir de soulagement. Les journaux faisaient habituellement état des ventes exceptionnelles. Dans ce cas, l'attention du colonel aurait sans nul doute été attirée par un article mentionnant des objets si semblables à ceux qu'il possédait.

La jeune femme passa une nuit blanche, tant la crainte d'une telle éventualité la tourmenta. Mais, au bout de quelques mois, elle finit par s'accoutumer aux agissements malhonnêtes de Jimmy. Celui-ci l'entraînait de plus en plus fréquemment dans des visites à leurs cousins, oncles et tantes. Une seule fois, il revint les mains vides, car il n'avait rien trouvé chez leurs hôtes qui ait la moindre valeur marchande.

Nikola dcvait admcttrc qu'aujourd'hui, King's Keep resplendissait ! Jamais leur maison n'avait été aussi belle. James avait fait repeindre les portes et les fenêtres. La façade avait retrouvé sa jolie couleur rose d'origine. A l'intérieur, toutes les chambres avaient été redécorées. Mais chaque fois que l'un de leurs visiteurs exprimait son admiration, Nikola retenait son souffle et tremblait de tous ses membres, dans la crainte que ce déploiement de luxe n'éveille ses soupçons.

Nikola traversa une allée de rosiers et atteignit les premières marches du perron. Jimmy allait rentrer d'un moment à l'autre. Il s'était rendu à Londres le matin même, afin de vendre un tableau. Celui-ci provenait de la collection de lord Mersey, un lointain cousin qui venait de perdre sa femme et à qui ils avaient rendu visite quelques semaines auparavant.

Lord Mersey n'avait pas d'enfant, mais Jimmy prétendait qu'il était d'une grande avarice. Cela signifiait, bien entendu, qu'il avait déjà refusé de lui prêter de l'argent, songea Nikola avec un soupir. Lord Mersey était un Tancombe, qui après s'être distingué dans sa carrière de magistrat, était devenu pair du royaume. Pendant le court séjour qu'ils avaient fait chez lui, James était parvenu à lui dérober un tableau d'une taille imposante.

— Mais... tu ne peux emporter cela ! s'était exclamée Nikola lorsqu'il était entré dans sa chambre, la toile sous le bras. On s'apercevra aussitôt de sa disparition !

— C'est un tableau du XVIIe siècle, peint par Dughet. Les œuvres des artistes français atteignent des prix faramineux à Londres !

— Où l'as-tu trouvé ?

— Dans une pièce de l'office, où les domestiques se réunissent quelquefois, à l'occasion d'une fête.

— Mais... les domestiques remarqueront sûrement qu'il n'est plus à sa place !

— Ma chère petite sœur, tu me sous-estimes ! J'ai pris soin de le remplacer par un autre tableau, qui sera certainement plus à leur goût que celui-ci, d'ailleurs.

— Est-il de la même taille ?

— Exactement. Je l'ai trouvé dans un corridor du dernier étage, où le maître de maison l'avait oublié.

Tout en parlant, il sortit son mouchoir et essuya doucement la toile poussiéreuse.

— Avec le prix de ce tableau, nous remplacerons les rideaux de la salle à manger et nous engagerons un nouveau jardinier.

Il y avait une note de défi dans sa voix et Nikola n'osa le contredire. James était animé par une telle passion pour King's Keep, qu'il était prêt à ignorer toutes les mises en garde.

— Je t'ai apporté ce tableau, afin que tu le dissimules dans ta malle, reprit-il au bout de quelques secondes. Si je le mettais dans mes bagages, le valet le remarquerait tout de suite.

— Non, non ! C'est hors de question ! Je ne veux pas ! s'exclama Nikola, terrifiée.

Mais sans tenir compte de ses protestations, son frère ouvrit la malle et en sortit les vêtements que la femme de chambre avait déjà soigneusement pliés et rangés. Puis, avec un soin infini, il déposa le tableau au fond et rangea de nouveau les robes par-dessus.

— Maintenant, finis de rassembler tes affaires, ordonna-t-il à sa sœur. Et arrange-toi pour que la domestique ne touche pas à tes bagages.

Leur départ était prévu pour le lendemain matin, mais Nikola ne put trouver le sommeil, tant elle était effrayée. Toutefois, personne ne s'aperçut de la supercherie et ils prirent congé de lord Mersey sans qu'il ait le moindre soupçon à leur sujet.

Aujourd'hui, James s'était rendu à Londres pour vendre le Dughet. Malgré sa désapprobation, Nikola était impatiente de savoir combien son frère obtiendrait pour ce tableau. D'un pas léger, elle gravit l'escalier de marbre, se demandant comment James emploierait cette nouvelle somme. Au moment où elle franchissait le seuil de sa chambre, elle entendit le bruit d'un attelage à l'extérieur.

Aussitôt, elle se précipita au bas des marches et ouvrit la porte elle-même, devançant les domestiques.

— Jimmy ! Tu es enfin de retour ! s'exclama-t-elle, radieuse. Comme je suis contente !

James l'embrassa sur la joue.

— Je suis de retour et j'ai d'excellentes nouvelles, petite sœur ! déclara-t-il en pénétrant dans le hall.

Butters, le vieux majordome perclus de rhumatismes, arriva d'un pas traînant et saisit les bagages pour les monter dans la chambre. Le frère et la sœur entrèrent dans le salon, dont les fenêtres s'ouvraient sur un superbe parterre de roses. Un rayon de soleil printanier jouait dans les tentures de soie claire, éclairant la pièce d'une chaude lueur dorée.

— Que s'est-il passé ? questionna Nikola d'un ton de conspirateur.

— J'ai obtenu mille guinées pour le tableau !

Nikola poussa un cri de surprise.

— Attends... ce n'est pas fini. J'ai également reçu une invitation du marquis de Ridgmont. Nous nous rendrons chez lui vendredi prochain.

— Le marquis de Ridgmont ? répéta Nikola d'une voix étonnée. Qui est-ce ?

— Un des plus grands collectionneurs d'Angleterre ! C'est lui qui m'a acheté le Dughet.

Nikola joignit les mains et l'anxiété se peignit sur son visage.

— Es-tu certain... qu'il ne soupçonne rien ? interrogea-t-elle à mi-voix.

— Bien sûr que non ! Comment cela se pourrait-il ? Quand bien même le marquis se serait déjà rendu chez lord Mersey, le tableau se trouvait à l'office ! Cela devrait te tranquilliser.

Mais la jeune femme frissonna, incapable de réprimer son inquiétude. Elle avait la certitude que Jimmy faisait une erreur en s'adressant à des collectionneurs. Ceux-ci connaissaient l'origine de presque tous les tableaux se trouvant sur le marché. Son père s'intéressait aux œuvres d'art et il lui avait souvent parlé de ses amis, collectionneurs également.

L'un d'eux aimait les meubles français. Son aïeul en avait récupéré plusieurs pièces superbes après la révolution. Un autre avait une passion pour l'argenterie. Pas une vente n'avait lieu à Londres sans qu'il n'y assiste. Il tenait même des dossiers, dans lesquels il notait le nom des acquéreurs des pièces les plus remarquables.

Tant que James se contentait de revendre des objets sans grande valeur, comme les miniatures de Tante Alice, il n'y avait rien à craindre. Mais dès lors qu'il s'adressait à des connaisseurs, il prenait des risques. Comme s'il avait deviné ses pensées, Jimmy se tourna vers elle et la toisa d'un air dur.

— Cesse de te tourmenter ! Puisque je t'affirme que je ne risque rien !

— Oh, Jimmy, je ne peux m'empêcher de trembler pour toi ! Tu sais bien que s'il y avait le moindre soupçon... de ce que tu as fait... tu serais immédiatement tenu à l'écart... par notre propre famille ! Tu serais mis au ban de la société et... ce serait terrible.

— Tout cela est très joli, mais... je trouve qu'il est facile d'être honnête lorsqu'on est riche et qu'on ne manque de rien ! Comme je te l'ai déjà dit, je n'ai dérobé que des objets que leurs propriétaires n'estimaient pas à leur juste valeur. La plupart du temps, ils avaient oublié jusqu'à leur existence. Je ne me sens en rien coupable !

Nikola soupira. Dans le fond de son cœur, elle comprenait la réaction de James, car elle savait qu'il n'avait agi ainsi que pour sauver King's Keep. Mais quoi qu'il en dise, il s'était conduit de façon malhonnête. Si leurs pauvres parents étaient encore de ce monde, ils auraient été malades de chagrin en apprenant ce qu'il avait fait.

— Maintenant, cesse de pleurnicher et écoute-moi, déclara James avec autorité.

— Je... t'écoute.

— Nous allons nous rendre dans le Huntingdonshire et séjourner dans l'une des plus belles demeures d'Angleterre. Celle-ci renferme des tableaux dix fois plus précieux que ceux qui se trouvent à la National Gallery, ou dans n'importe quel autre musée du monde !

— Comment se fait-il que le marquis t'ait invité ?

— Lorsqu'il m'a acheté le Dughet je lui ai laissé entendre que je possédais d'autres tableaux susceptibles de l'intéresser.

— Ne s'est-il pas étonné que tu lui vendes celui-ci ?

— Pas du tout. Je lui ai dit qu'il appartenait à ma famille, mais que j'étais dans l'obligation de m'en séparer. Je pense d'ailleurs que ma description de King's Keep l'a si fortement impressionné, qu'il ne tardera pas à nous rendre visite lui-même !

— Mais alors... il s'apercevra sûrement que le tableau ne pouvait pas provenir de chez nous !

— Pourquoi donc ? Je pouvais fort bien conserver ce chef-d'œuvre à la cave ou au grenier, si tel était mon bon plaisir ! Et cet homme est prêt à payer une fortune pour une autre toile de cette qualité.

Jimmy était si excité par l'excellente affaire qu'il venait de conclure, qu'il n'écoutait déjà plus Nikola. Celle-ci était dévorée d'inquiétude. Sans qu'elle puisse s'expliquer pourquoi, le nom du marquis de Ridgmont avait éveillé en elle une sourde angoisse.

« Ce n'est qu'un effet de mon imagination », se répéta-t-elle plusieurs fois, tentant de chasser ses craintes.

En vain. Son cœur fut pénétré d'un terrible pressentiment qui ne la quitta plus.

2

Nikola arrangeait un bouquet de roses dans un des vases en porcelaine du salon, lorsque son frère entra dans la pièce d'un pas ferme et décidé.

— Nous partons demain chez Tante Alice, déclara-t-il avec enjouement.

— Tante Alice ? répété Nikola, éberluée.

— Tu m'as bien entendu.

— Mais... la dernière fois que nous y sommes allés, tu t'es plaint du manque de confort et du maigre repas qu'elle nous a fait servir !

— Aussi, je te laisse deviner la raison de cette nouvelle visite à notre chère parente.

— Oh, non ! Jimmy... tu ne vas quand même pas... lui dérober un autre tableau !

— Bien sûr que si ! Si j'arrivais chez le marquis de Ridgmont les mains vides, il serait terriblement déçu.

Nikola posa les fleurs sur le guéridon et s'approcha de son frère d'un air suppliant.

— Écoute, Jimmy... nous ne pouvons pas continuer comme ça.

— Nous manquons d'argent, Nikola ! J'ai commandé de nouveaux rideaux de brocart pour le salon et des fauteuils pour le hall. Lorsque je les aurai payés, il ne restera plus rien sur notre compte en banque.

— Nous pouvons nous passer de rideaux neufs, balbutia Nikola. Le salon est déjà très joli comme ça.

Mais elle savait d'avance que ses efforts pour convaincre Jimmy étaient inutiles. Son frère aurait été jusqu'à dérober les Joyaux de la Couronne, afin d'embellir King's Keep !

— J'ai besoin de ton aide, s'exclama-t-il en martelant chaque syllabe. Et je souhaite faire un présent à Tante Alice.

— Un présent ? Voilà qui ne manquera pas de l'étonner !

— En fait, j'aurais dû y songer lors de notre première visite. En Orient, la coutume veut que l'on apporte un cadeau à ses hôtes.

— C'est sûrement une coutume charmante... mais nous ne sommes pas en Orient, répliqua Nikola en lançant à son frère un regard anxieux.

Rien ne la tentait moins que de faire un second séjour dans le sinistre manoir de Tante Alice. Mais Jimmy paraissait décidé à suivre son idée.

— Je ne vois vraiment pas ce qui ferait plaisir à Tante Alice, reprit-elle. Comme tu l'as toi-même fait remarquer, sa maison regorge de trésors auxquels elle ne prête pas la moindre attention.

— Je ne pensais pas à un objet d'art. Mais... à un chien, par exemple.

— Un chien ? Certainement pas ! L'entretien d'un chien représenterait une fortune pour cette vieille avare.

— Alors, as-tu une meilleure idée ?

— Il y a trois chatons qui viennent de naître, à l'office. Ils sont de toute beauté, mais Bessie ne veut pas tous les garder.

— Des chatons ! C'est tout à fait ce qu'il nous faut !

— Je ne sais pas si Tante Alice sera de ton avis.

Sans même écouter sa sœur, Jimmy sortit en toute hâte et se dirigea vers la cuisine. Découragée, Nikola se laissa tomber sur une chaise.

— Que dois-je faire ? murmura-t-elle pour elle-même. Ce que nous faisons est malhonnête et dangereux, mais Jimmy ne veut rien entendre ! Comment le convaincre de cesser ?

A cet instant, il réapparut, tenant entre ses mains une adorable petite boule blanche qui miaulait à fendre l'âme.

— Qu'il est joli ! s'écria Nikola avec un sourire attendri. Mais je suis sûre que Tante Alice refusera de le garder.

— Dans ce cas, nous le ramènerons avec nous ! rétorqua Jimmy d'un ton léger.

Il déposa le chaton sur la table et tous deux le regardèrent jouer.

— Nous l'appellerons Snowball. Et je parie que lorsque Tante Alice le verra, elle tombera amoureuse pour la première fois de sa vie.

— Tu crois donc aux miracles ! répondit Nikola avec un sourire en coin.

James et Nikola se mirent en route le lendemain matin. Snowball était installé dans une ravissante corbeille d'osier, que Nikola avait tapissée de tissu rose. Deux jolies ganses de satin ornaient l'anse de la corbeille.

Nikola demeura longtemps silencieuse, songeant à la collection de tableaux de l'Oncle Edward.

— Que répondras-tu, si Tante Alice fait allusion à la disparition du tableau et des miniatures ?

Jimmy haussa les épaules d'un air détaché.

— A vrai dire, c'était la première fois de ma vie que je dérobais le bien d'autrui et je me suis conduit de façon bien stupide, ce jour-là.

— Vraiment ?

— Oui. J'aurais dû en prendre davantage. Cela nous aurait épargné cette seconde visite.

Nikola soupira en songeant à l'énorme malle qu'il lui avait fait emporter. Comptait-il la remplir d'œuvres d'art ? C'était un bagage beaucoup trop important pour un déplacement aussi court. Les femmes de chambres risquaient de s'étonner en découvrant qu'elle était presque vide. Aussi y avait-elle entassé plusieurs jupons à volants, qu'elle pourrait écraser sans crainte, afin de faire de la place pour les tableaux.

La jeune femme jeta un coup d'œil au paysage. Ils étaient aux premiers jours du printemps et des fleurs multicolores s'épanouissaient dans la campagne. Un doux rayon de soleil lui effleura la joue. Mais Nikola frissonna en pensant que chaque minute les rapprochait du château de Tante Alice. Celle-ci devait s'interroger sur les raisons de cette nouvelle visite.

Jimmy s'était contenté de lui envoyer une lettre très brève, lui disant qu'il désirait absolument la voir. Comme elle habitait fort loin de King's Keep, ils seraient obligés de passer une nuit chez elle, sans quoi le voyage serait trop fatigant pour les chevaux.

Enfin, ils atteignirent le manoir et Nikola le trouva encore plus sombre et plus triste que la première fois. Le valet qui les reçut sur le pas de la porte faisait grise mine. Sans doute était-il excédé par le supplément de travail que cette visite allait provoquer ! songea Nikola. Mais Jimmy ne parut pas se formaliser de la froideur de cet accueil et salua gaiement le valet et le majordome, comme s'il s'agissait de vieilles connaissances.

Puis, d'un pas vif, il entra dans le salon où lady Hartley les attendait. La vieille dame paraissait excessivement contrariée.

— Bonjour, Tante Alice ! s'exclama Jimmy. Quel plaisir de vous revoir !

— Je suis curieuse de savoir ce qui me vaut votre visite, mon neveu, déclara-t-elle d'un ton revêche.

— La réponse est très simple. Je vous ai apporté un cadeau.

— Un cadeau ? répéta lady Hartley en regardant d'un air soupçonneux la corbeille que Nikola tenait entre ses mains.

— Oui, ma Tante. Un chaton, que nous avons baptisé Snowball. Lors de notre visite, j'ai pensé que vous deviez vous sentir bien triste, seule dans ce grand manoir. Snowball sera certainement le compagnon idéal pour vous.

— Mais... je n'aime pas les animaux de compagnie ! D'ailleurs, j'ai donné les chiens de lord Hartley, qui me coûtaient beaucoup trop cher. Que ferais-je d'un chaton ?

Mais en même temps, elle ne put s'empêcher de jeter un coup d'œil curieux à la petite boule blanche qui dormait dans la corbeille. Soudain, Snowball ouvrit ses grands yeux bleus, s'étira gracieusement et regarda autour de lui, d'un air étonné. Nikola retint sa respiration, guettant anxieusement la réaction de sa tante.

— C'est un petit chat ravissant, déclara celle-ci au bout de quelques secondes. Je n'avais jamais vu un pelage aussi blanc !

— Snowball est unique, Tante Alice. C'est pourquoi je tenais tant à vous l'offrir.

Et avant qu'elle ait eu le temps de protester,

Jimmy saisit le petit animal et le déposa sur les genoux de lady Hartley. Celle-ci l'entoura instinctivement de ses mains, afin de l'empêcher de tomber et Snowball se mit aussitôt à ronronner entre ses bras.

— Quelle charmante petite créature, murmura-t-elle, perplexe.

— C'est exactement mon opinion, renchérit Jimmy. Je suis sûr qu'il ne vous quittera plus. Il est déjà très affectueux !

A sa grande stupéfaction, Nikola s'aperçut que Tante Alice ne l'écoutait plus. Avec une expression de tendresse infinie, elle contemplait Snowball, qui s'était blotti contre elle. Jimmy lança à sa sœur un coup d'œil entendu et un sourire de satisfaction étira ses lèvres. Une fois de plus, il était parvenu à ses fins !

Le majordome entra et offrit à Jimmy le traditionnel verre de sherry, après quoi les jeunes gens montèrent dans leurs chambres afin de se changer pour le dîner.

— Que t'avais-je dit ! s'exclama Jimmy lorsqu'il fut seul avec Nikola. J'ai eu un trait de génie !

La jeune femme fit la moue, car elle ne désirait pas manifester la moindre approbation à son frère. Mais en réalité, elle se sentait soulagée d'un grand poids. Au moins avaient-ils donné quelque chose à Tante Alice. A présent, leur faute lui paraissait moins grande.

Tard dans la soirée, Jimmy frappa à la porte de Nikola et entra dans sa chambre. Il transportait deux tableaux. La jeune fille était sur le point de s'endormir, mais elle avait laissé une chandelle allumée sur sa table de nuit, devinant que son frère profiterait du sommeil de la maisonnée pour aller explorer les pièces du manoir que Tante Alice tenait fermées.

Jimmy s'approcha du lit sur la pointe des pieds. Nikola se redressa et constata avec soulagement que les deux toiles qu'il avait choisies n'étaient pas d'une taille trop importante.

— Ce tableau, chuchota-t-il en lui désignant l'une d'entre elles, s'intitule « Un jeune couple ». C'est un Van Leyden.

Nikola hocha la tête. Elle avait déjà entendu son père citer le nom de ce peintre, qui était un disciple de Dürer. Le tableau était beau, mais elle ne lui porta pas un grand intérêt.

— L'autre est de Mabuse, poursuivit Jimmy. C'était un peintre flamand.

Il s'agissait du portrait d'une jeune fille. Son visage n'avait rien de remarquable, mais la robe et le chapeau qu'elle portait étaient magnifiquement peints. Nikola contempla les deux toiles sans dire un mot. Alors, comme excédé par son indifférence, Jimmy tourna les talons et sortit de la chambre, abandonnant les deux œuvres d'art sur son lit.

Abasourdie, Nikola le suivit des yeux. Quel mouche l'avait piqué ? Comptait-il ramener de nouveaux tableaux ? se demanda-t-elle avec un frisson d'appréhension.

Comme il tardait à revenir, elle se leva et s'empressa de cacher les deux toiles au fond de sa malle, espérant qu'ils n'en emporteraient pas davantage. Ensuite, elle plia soigneusement les robes que la femme de chambre avait suspendues dans l'armoire et les déposa par-dessus.

Au bout de quelques minutes, Jimmy réapparut.

— As-tu pris... autre chose ? questionna Nikola en pâlissant un peu.

La question était inutile. Son frère portait sous

le bras une toile deux fois plus grande que les deux premières. Il l'appuya au mur et approcha la bougie, afin qu'elle puisse mieux la contempler. Nikola tomba aussitôt en admiration devant la beauté du tableau.

— Il s'agit de « La Madone des Roses », lui expliqua Jimmy. C'est une œuvre de Lochner. Lorsque le marquis la verra, il sera subjugué !

— Mais... comment allons-nous emporter un tableau d'un tel format ?

— Il rentrera sûrement dans ta malle. En fait l'encadrement est très encombrant, mais je ne peux pas le laisser ici.

— N... non, bien sûr.

Nikola imagina la réaction de leur tante, si elle découvrait un encadrement vide ! Quelle catastrophe !

Jimmy sortit les vêtements qu'elle avait déjà rangés dans sa malle, ainsi que les deux autres tableaux. Pensive, Nikola le laissa faire et en profita pour admirer la toile de Lochner. C'était une peinture superbe, qui représentait la Vierge, assise sur un trône doré et tenant l'Enfant Jésus sur ses genoux. Elle portait une robe de soie aux tons riches et profonds, dont les plis retombaient gracieusement autour de ses chevilles. Des angelots joufflus lui tendaient leurs mains chargées de fleurs et de fruits. D'autres tiraient de leurs instruments de musique des accords célestes. Nikola n'avait jamais vu un aussi joli tableau. Leur tante ne remarquerait-elle pas la disparition d'une pareille merveille ? se demanda-t-elle avec anxiété.

La voyant absorbée dans la contemplation de la toile, Jimmy s'approcha d'elle en souriant.

— Je savais que cette peinture te plairait.

— Il ne faut pas la voler, Jimmy ! Nous ne pouvons emporter une œuvre d'une telle beauté !

— Je pense que Tante Alice elle-même ne sait plus qu'elle lui appartient ! Ce chef-d'œuvre était relégué au fond d'un cabinet noir, où personne n'a pénétré depuis des lustres. Regarde, le cadre est couvert de poussière et de moisissure.

Tout en parlant, James saisit la toile et la posa délicatement au fond de la malle. Puis, avec une habileté surprenante pour un homme, il plia quelques robes et les déposa par-dessus. Enfin, il rajouta les deux autres tableaux sur la pile de vêtements.

Assise au bord de son lit, Nikola l'observait en silence. Le visage de Jimmy était rayonnant.

— Lève-toi tôt demain matin. Et arrange toutes tes affaires avant que la femme de chambre n'entre chez toi. Ne laisse pas le moindre objet dehors. Il ne faut sous aucun prétexte qu'elle ouvre ta malle !

Jimmy lui donnait des ordres comme à une jeune recrue, se dit-elle avec un demi-sourire. Quelle déception pour lui, si ces toiles lui échappaient !

— Ne t'inquiète pas, Jimmy, lui affirma-t-elle d'un ton rassurant. Je ferai exactement ce que tu m'as dit.

Jimmy lui adressa un sourire reconnaissant et l'embrassa sur la joue.

— Dors bien, petite sœur.

Après avoir jeté un coup d'œil dans le couloir afin de s'assurer que personne ne l'y surprendrait, il sortit et Nikola entendit son pas s'éloigner dans le corridor. Alors, elle se leva et enferma toutes ses affaires dans la malle, à l'exception de sa chemise de nuit et de la robe qu'elle désirait porter le lendemain. Jimmy avait raison. Si la femme de chambre ouvrait ses bagages, elle ne manquerait pas de s'apercevoir que la malle était beaucoup plus pleine qu'à son arrivée !

Lorsqu'elle se recoucha après tous ces préparatifs, elle eut le plus grand mal à trouver le sommeil, tourmentée par l'idée qu'ils avaient dérobé un tableau aussi splendide. Bouleversée, elle revit en pensée le visage de la Vierge et songea à toutes les personnes qui avaient prié devant cette image. Et bien que le tableau soit à présent caché au fond de ses bagages, elle se mit à prier également, suppliant la Vierge de venir en aide à Jimmy et de lui pardonner. Sa prière fut si fervente, qu'elle eut la certitude qu'elle serait entendue.

Mais que se passerait-il lorsque Jimmy aurait vendu ces tableaux ? Reviendrait-il chez Tante Alice en dérober de nouveaux ? Peut-être déciderait-il de retourner chez lord Mersey, ou chez d'autres parents.

— Aidez-nous, je vous en supplie... aidez-nous, murmura Nikola. Il ne faut pas que Jimmy continue.

Et soudain, elle fut sûre que la Madone qui tenait l'Enfant Jésus sur ses genoux écoutait ses paroles.

Lorsque la domestique entra dans sa chambre le lendemain à 8 heures, Nikola était déjà tout habillée et ses bagages étaient prêts.

— Déjà levée, Miss Nikola ! Vous êtes matinale.

— Nous avons une longue route à faire et je désire arriver tôt à King's Keep.

— Je suis sûre que tous là-bas attendent votre retour avec impatience. Ils doivent être perdus sans leur jeune maîtresse ! s'exclama gentiment la servante.

Nikola lui sourit et jeta un dernier coup d'œil autour d'elle pour s'assurer qu'elle n'oubliait rien.

Lorsqu'elle descendit dans la salle à manger, où le petit déjeuner était servi, elle vit Tante Alice, occupée à verser un peu de lait dans une soucoupe pour Snowball.

— Ce petit chéri a dormi au pied de mon lit toute la nuit et il ne m'a pas réveillée une seule fois ! déclara la vieille dame, avec autant de fierté qu'une mère devant son nourrisson.

— Je savais que Snowball vous plairait ! répliqua Jimmy, rayonnant de satisfaction. De plus, grâce à lui, vous n'aurez bientôt plus de souris !

— Oh... Snowball est encore trop jeune pour chasser !

Le visage de lady Hartley s'éclaira d'un tendre sourire et elle caressa le doux pelage blanc d'un air protecteur. Décidément, leur tante était transformée ! Le cadeau de Jimmy l'avait rendue plus heureuse que jamais.

Nikola haussa les sourcils, en pensant au drôle d'échange que son frère avait effectué : un banal chaton, dont la valeur marchande était nulle, contre trois tableaux inestimables ! Mais le bonheur n'avait pas de prix, se dit-elle en matière de consolation.

— Rappelez-vous, Tante Alice, lui recommanda Jimmy avant de partir. Jusqu'à trois mois, Snowball doit manger du poisson tous les jours. Lorsqu'il sera un peu plus grand, vous pourrez lui donner du poulet.

— Bien sûr, James. Je suivrai vos conseils.

— Il doit faire deux repas par jour. Et surtout, évitez le lapin, ce n'est pas conseillé pour les jeunes chats.

Lady Hartley paraissait suspendue à ses lèvres.

— Je ne savais pas que tu connaissais si bien les chats, fit remarquer Nikola lorsque leur attelage s'engagea dans l'allée du parc.

— Ma chère petite sœur, j'ai pris soin de m'informer auprès de Bessie avant de partir !

— Il faut reconnaître que Tante Alice a apprécié ton cadeau. Pour la première fois, elle m'a paru... humaine !

Dès qu'ils furent de retour à King's Keep, Jimmy nettoya les toiles, comme il avait appris à le faire auprès d'un des plus grands experts londoniens. Nikola passa plusieurs heures, perdue dans la contemplation de « La Madone des Roses ». Dans deux jours à peine, Jimmy l'aurait emportée et elle ne la reverrait plus jamais, songea-t-elle avec une indicible tristesse.

Elle s'absorba tant dans ses prières, qu'il lui sembla que la Madone désirait lui parler également et lui donner sa bénédiction.

— J'aimerais tant garder ce tableau ! murmura-t-elle avec un brin de mélancolie.

— Moi aussi.

— Ne... pourrions-nous le conserver et vendre un de nos propres tableaux à sa place ?

Nikola vit le visage de son frère se fermer.

— Je l'ai dérobé dans le but d'obtenir de l'argent pour King's Keep. A présent, si je décidais de le garder pour notre plaisir, j'aurais l'impression de tricher.

— Je comprends, rétorqua Nikola, amusée malgré elle par les curieux principes de son frère. Quel dommage, que je n'aie pas d'argent ! Sinon, je te l'aurais acheté.

— Le marquis de Ridgmont s'en chargera.

Le voyage jusque chez le marquis serait long et fatigant. Nikola aurait préféré prendre le train. Mais à cause des tableaux, c'était impossible. Par bonheur, les deux attelages qu'ils possédaient étaient neufs. Ils seraient donc assez rapides et

Nikola pensait avoir tout loisir de se reposer en arrivant à Ridge.

Deux jours avant leur départ, James lança soudain à sa sœur un coup d'œil critique.

— Je pense que j'aurais dû te conseiller d'acheter une nouvelle robe.

— Une nouvelle robe ? répéta-t-elle, étonnée. Mais pourquoi ?

— Eh bien... le marquis est un des hommes les plus riches d'Angleterre et il organise de brillantes réceptions.

— Tu... tu veux dire que le marquis est jeune et... et mondain... et qu'il recevra d'autres invités que nous ? demanda Nikola, consternée.

— Il ne doit guère avoir plus de trente ans. Et selon toutes probabilités, il sera comme toujours, en compagnie de nombreux amis.

— Je... je ne sais pourquoi, je pensais qu'il s'agissait d'une vieille personne, comme lord Mersey.

Dans son esprit, un collectionneur de tableaux ne pouvait être qu'un vieillard et elle n'avait pas imaginé une seconde qu'ils passeraient ces quelques jours auprès d'un homme jeune, élégant et entouré d'une société brillante.

— Il vaudrait mieux que je ne vienne pas avec toi !

— Ne sois pas ridicule, voyons ! C'est impossible.

— Je ne vois pas pourquoi. Tu ne vas pas chez le marquis afin de lui dérober quelque chose, mais au contraire, dans le but de lui vendre un tableau. Tu n'as nullement besoin de moi pour cela.

— Je sais bien, mais... il est préférable que tu sois là. Je veux que tu aies l'air affectée par la vente de ce tableau que notre père nous a légué et auquel tu tiens beaucoup. De plus, la présence d'une aussi jolie femme que toi risque de le troubler. Et... il en oubliera peut-être de me poser des questions embarrassantes.

— Tu n'avais jamais fait allusion à cela auparavant ! s'exclama Nikola, interdite.

— Le marquis de Ridgmont est très différent des personnes auxquelles nous avons rendu visite jusqu'ici. Et... j'ai bien vu les regards admiratifs que le vieux Mersey te lançait... je suis sûr qu'il t'a trouvée aussi séduisante que la Vénus qui orne le mur de son salon !

Nikola éclata de rire.

— Oh, tu te moques de moi ! Mais... il n'en demeure pas moins que je n'ai rien à me mettre.

— Et je suppose que tu n'as plus le temps d'acheter quelque chose..., murmura James, pensif.

— Non. Il faudrait que j'aie des ailes, pour me rendre à Londres et en revenir avant notre départ !

Jimmy haussa les épaules.

— Eh bien... le marquis te prendra comme tu es. Mais je regrette de ne pas y avoir pensé plus tôt.

La jeune femme ne put qu'approuver, avec un pincement de cœur. Elle ne demandait jamais d'argent à son frère, car elle savait qu'il ne voulait envisager de dépense que pour son cher King's Keep. Montant à sa chambre, elle ouvrit son armoire et considéra sa garde-robe d'un air dépité. Rien de tout ce qu'elle possédait ne ferait l'affaire ! Depuis des années, elle cousait ses robes elle-même par mesure d'économie. Elle avait fini par acquérir une certaine habileté à confectionner de jolis modèles, mais elle n'avait pas les moyens de s'acheter des tissus de belle qualité.

Avec un léger soupir, elle songea aux créations du styliste Frederick Worth, qu'elle avait vues dans un journal de mode.

« Que faire ? » se demanda-t-elle tristement.

A cet instant, le visage de « La Madone des Roses »

lui apparut et elle lui adressa une prière silencieuse. La Vierge comprendrait sûrement sa détresse. Il fallait qu'elle aide son frère et qu'il n'ait pas à rougir d'elle !

Soudain, elle se rappela l'existence de certains rideaux, que sa mère avait choisis quelques années auparavant pour orner un lit à baldaquin. Ils étaient en pure soie, d'un superbe bleu turquoise.

« En Orient, les gens prétendent que cette couleur porte chance, lui avait dit sa mère. Je pense qu'ils iront très bien dans cette chambre d'ami, car ton père y a disposé tous ses objets d'art orientaux. »

Jimmy n'avait plus les moyens de lancer des invitations fastueuses, comme le faisaient autrefois leurs parents. Aussi la chambre était-elle fermée depuis des mois. Plus personne n'y dormait. Le visage de Nikola s'éclaira. L'un des rideaux suffirait pour faire une jupe de soirée, songea-t-elle, radieuse. Avec l'autre, elle pourrait se confectionner un corsage ravissant.

Mais lui restait-il suffisamment de temps ? Nikola se précipita dans la chambre d'ami, décrocha le tissu soyeux et redescendit en courant à la cuisine. Assise près de la cheminée, Bessie était en train d'écosser des petits pois que le jardinier venait d'apporter.

— Bessie ! Nous partons chez un ami de Mr. James après-demain, déclara Nikola, essoufflée. J'ai absolument besoin d'une nouvelle robe !

— Une nouvelle robe, Miss Nikola ? Mais où trouverez-vous l'argent pour l'acheter ?

— Je compte utiliser les rideaux de la chambre bleue.

Bessie leva vers elle un regard stupéfait.

— Connais-tu quelqu'un au village, qui pourrait m'aider ? Seule, je ne pourrai jamais couper et coudre une robe en un jour et demi.

— Eh bien... il y a Mrs. Gibbons à Honeysuckle Cottage, répondit Bessie, après une seconde de réflexion. C'est elle qui a confectionné le nouvel habillage de l'autel pour l'église.

— Merci, Bessie ! s'exclama Nikola en poussant un soupir de soulagement.

Deux heures plus tard, Nikola coupait le tissu de sa nouvelle robe, tandis que Mrs. Gibbons disposait le contenu de sa boîte à ouvrage sur la table. Toutes deux travaillèrent sans relâche pendant la soirée et toute la journée du lendemain. Enfin, le lendemain soir, la robe fut presque terminée.

Ravie, Nikola contempla longuement le résultat. Elle avait découvert le modèle dans un magazine prêté par la femme du vicaire. Mais elle avait été si habile à le réaliser, qu'on aurait pu croire que c'était l'œuvre d'un couturier parisien. Avec un sourire de plaisir, elle essaya la robe. Ce ton turquoise lui allait à merveille et mettait superbement en valeur le bleu de ses yeux et les riches reflets dorés de sa chevelure.

Cependant, craignant que le décolleté ne soit trop profond, elle ajouta un ruban de satin autour de l'encolure.

— C'est la plus jolie toilette que j'aie jamais vue ! s'exclama Mrs. Gibbons. Vous êtes aussi belle qu'une gravure de mode, Miss Nikola !

— Merci, Mrs. Gibbons. J'espère que mon frère sera de votre avis !

Avec un demi-sourire, elle pensa qu'en fait, l'opinion de leur hôte serait plus importante que celle de James. Mais vraisemblablement le marquis ne la remarquerait même pas. D'après les récits de Jimmy, il s'agissait d'un personnage très riche et très brillant, habitué à évoluer dans les cercles londoniens à la mode. Une jeune fille aussi insignifiante qu'elle ne retiendrait jamais son attention.

Lorsqu'elle avait découvert qu'il était très différent de ce qu'elle imaginait, elle avait posé de nombreuses questions à son frère.

Le marquis était jeune et extrêmement sportif. Il possédait de splendides chevaux, qu'il montait lui-même aux courses. Il appréciait surtout les steeple-chases et en organisait lui-même dans ses propriétés.

Bien que Jimmy soit demeuré assez vague à ce sujet, elle avait également appris que le marquis voyageait beaucoup.

— Mais où va-t-il ? s'enquit-elle, curieuse.

— Dans toutes sortes de pays, je suppose.

— Et il trouve quand même le temps de collectionner des tableaux ?

— Il possède la plus belle collection d'Angleterre. Elle lui a été léguée par son père et son grand-père, qui étaient tous deux des amateurs avertis.

— Cependant, il achète toujours de nouvelles toiles !

— C'est la raison pour laquelle nous sommes invités chez lui.

— Que fait-il d'autre ?

— Il profite de la vie ! s'exclama Jimmy avec un sourire narquois.

— Mais n'est-il pas marié ?

— Non. Et il a juré de rester célibataire.

— Mais... pourquoi ? Ne désire-t-il point un héritier à qui il pourra léguer son énorme fortune ?

Jimmy haussa les épaules en signe d'ignorance.

— Je suppose qu'il a eu une déception amoureuse... ou qu'il préfère la liberté. Quoi qu'il en soit, c'est un célibataire endurci. Inutile donc de jeter ton dévolu sur lui !

— Je suis loin d'envisager une chose pareille ! s'exclama Nikola, piquée au vif.

Comment son frère pouvait-il la soupçonner d'avoir de telles idées ? Blessée dans son amour-propre, elle cessa de le questionner. Mais lorsqu'elle se retrouva seule dans sa chambre, elle imagina que le marquis devait être un personnage bien déplaisant. A vrai dire, il lui paraissait presque inhumain et elle n'avait plus du tout envie de se rendre à son invitation.

Cependant, James était impatient de se mettre en route. Il était bien décidé à tirer le plus d'argent possible de cette vente. Et cette somme serait tout entière consacrée à l'embellissement de King's Keep.

3

Les invités commençaient à jeter des regards discrets à la pendule. Enfin ! songea le marquis, il allait pouvoir s'éclipser. Non qu'il regrettât d'avoir accepté cette invitation de l'ambassadeur de France ! Cet agréable déjeuner lui avait donné l'occasion de retrouver quelques vieilles connaissances, avec qui il avait eu plaisir à discuter peinture.

Lady Lessington s'avança vers lui et lui adressa un sourire enjôleur, dont il connaissait la signification.

— Dînerez-vous avec moi demain soir, Blake ? chuchota-t-elle d'une voix suave. George part à la campagne aujourd'hui.

— Moi aussi, ma chère. Et je compte y rester jusqu'à lundi.

Aussitôt, la déception se peignit dans les superbes yeux bleus de la jeune femme.

— Mais... nous nous verrons la semaine prochaine, s'empressa d'ajouter le marquis en baisant la main qu'elle lui tendait.

Rassurée, elle lui sourit et se dirigea vers leurs hôtes afin de les saluer. Pensif, le marquis la regarda s'éloigner de sa démarche souple et ondoyante. Lady Lessington était incontestablement une des plus belles femmes de Londres. Hélas, la passion qui les unissait depuis plusieurs mois ne brûlait plus d'un feu aussi ardent qu'autrefois.

Or, le marquis détestait voir une affaire de cœur s'enliser dans la médiocrité. Lorsque l'intensité d'une liaison déclinait, la rupture devenait pour lui inévitable et il n'hésitait pas à se séparer de ses conquêtes de façon assez abrupte. Il avait ainsi acquis une réputation de séducteur au cœur dur. Mais cela lui importait peu. Il était hors de question qu'il se contente d'une relation ordinaire, lui qui en tout exigeait la perfection et recherchait le sublime.

Ses maisons étaient les plus élégantes et les plus raffinées d'Angleterre, ses domaines offraient aux autres nobles du royaume un exemple unique d'ordre et de splendeur.

Ses maîtresses se devaient d'être d'une beauté exceptionnelle.

D'une discrétion exemplaire, il protégeait leur réputation aussi bien que la sienne et n'avait jamais été exposé au moindre scandale.

Lady Lessington quitta le salon de l'ambassade et se dirigea vers l'imposant escalier de marbre, attirant les regards sur son passage. Le marquis observa de loin la silhouette élégante, objet de tant d'admiration. Il ne la reverrait pas ! décida-t-il brusquement.

Certes, il ne pourrait éviter de la rencontrer lors des réceptions auxquelles ils seraient tous deux conviés. Mais il fallait mettre un terme à leur liaison. Lady Lessington ne comprendrait sans doute pas les raisons de cette rupture brutale et elle lui en voudrait. Mais elle ne tarderait pas à lui trouver un remplaçant et finirait par l'oublier, se dit-il avec une moue désabusée.

Son cabriolet l'attendait devant la porte de

l'ambassade. Il grimpa souplement sur le siège et saisit les rênes. Rêveur, il pensa au vide que lady Lessington laisserait dans sa vie. Qui serait la prochaine élue de son cœur ? Le marquis menait une vie trépidante et il ne pouvait se passer de la compagnie d'une jolie femme.

De plus, la perspective d'entreprendre la conquête d'une jeune beauté l'exaltait. Pour lui, cela offrait le même plaisir qu'une course à cheval. Dans les deux cas, il était toujours certain de gagner.

Il se rappela avoir remarqué une fort belle femme la veille, à Carlton House. Sa chevelure était d'un ton de roux tout à fait exquis et son visage des plus attrayants. Il ne connaissait pas son nom, mais il lui suffirait de le demander au Prince de Galles, dont ils étaient les invités.

Le marquis en était là de ses réflexions, lorsqu'il atteignit Hyde Park Corner. Avec un sourire de satisfaction, il fit accélérer l'allure à ses chevaux. Le cabriolet s'engagea vivement dans l'avenue du Mall, qui menait à Buckingham Palace. Il avait fait l'acquisition de ces deux superbes animaux la semaine précédente, auprès de l'un de ses amis, un aristocrate connu pour ses excentricités et ses dépenses extravagantes. Celui-ci avait eu besoin d'une somme d'argent importante et le marquis lui avait proposé cette transaction. Les deux chevaux avaient coûté beaucoup trop cher, songea-t-il. Mais ils étaient splendides et de plus, cela lui avait donné l'occasion de rendre service à son ami.

Tout le long de l'avenue, des promeneurs se retournèrent sur son passage. Pour une fois, les élégantes n'admiraient pas seulement sa personne, mais également la splendeur de son attelage ! constata-t-il avec un sourire amusé.

Le marquis était très fier de son écurie. Il avait

une passion pour ses chevaux de course, qu'il gardait dans sa maison de campagne de Newmarket. Deux d'entre eux devaient disputer un steeple-chase la semaine suivante et il se ferait une joie de les monter à cette occasion.

Cette pensée le ramena à la réalité et il se rappela avec un brin d'inquiétude qu'il avait invité quelques amis à Ridge, cette semaine. Avait-il demandé aux Lessington de se joindre à eux ? Dès son retour à Park Lane, il s'en informerait auprès de son secrétaire. La pensée de devoir peut-être affronter lady Lessington pendant le week-end lui arracha une moue de contrariété.

Le cabriolet traversa Horse Guards Parade, ce qui constituait le plus court chemin jusqu'à Downing Street. En sa qualité d'ancien officier de cavalerie, le marquis était autorisé à traverser le palais de Whitehall à sa convenance. Il passa donc fièrement devant la sentinelle qui en gardait l'entrée, traversa le parc aux larges avenues sablées et tourna à droite.

Ce n'est qu'en abordant Downing Street, qu'il repensa à la convocation du Premier ministre. Pour quelle raison voulait-il le voir de toute urgence ? La dépêche lui était parvenue le matin même et l'avait fort contrarié. Il avait pour cet après-midi de nombreux projets qu'il ne désirait pas remettre.

— J'espère que lord Beaconsfield ne me retiendra pas trop longtemps, murmura-t-il en arrêtant sa voiture devant le numéro 10.

En fait, il appréciait toujours ses entrevues avec Benjamin Disraeli, que la reine avait élevé au titre de lord l'année précédente. Comme Victoria, le marquis estimait que l'Angleterre n'avait jamais eu de Premier ministre aussi brillant que lui. La reine avait un faible qu'il comprenait fort bien pour lord Beaconsfield.

En dépit de son allure excentrique, celui-ci était véritablement l'homme de toutes les situations. D'ailleurs, il l'avait déjà prouvé et même ses adversaires les plus farouches ne pouvaient que s'incliner devant son esprit, son intelligence brillante et ses indéniables qualités de diplomate.

Un laquais introduisit le marquis dans le bureau du Premier ministre. Celui-ci se leva et tendit la main à son visiteur.

— Monsieur le marquis, enfin ! Je savais que je pouvais compter sur vous !

— Je vous en donne ma parole, monsieur le ministre. Mais je suis anxieux de savoir quelle catastrophe a bien pu se produire, pour que vous me fassiez appeler aussi inopinément.

Lord Beaconsfield se mit à rire et fit signe au marquis de prendre place devant la cheminée, dans l'un des confortables fauteuils de cuir fauve. Malgré la température clémente de cette journée printanière, le ministre avait fait allumer un feu. Le marquis se rappela avec un sourire amusé, que ce grand homme était très sensible au froid et qu'il détestait l'hiver. Il est vrai que les courants d'air qui régnaient au Parlement et l'humidité qui s'élevait de la Tamise avaient de quoi faire frissonner les Britanniques les plus endurcis.

Le Premier ministre joignit les mains devant lui, geste qui lui était habituel lorsqu'il réfléchissait.

— Sa Majesté la reine est complètement hystérique, déclara-t-il enfin à brûle-pourpoint.

S'il espérait choquer son interlocuteur, c'était peine perdue. Le marquis demeura imperturbable.

— Je présume que vous faites allusion à la situation entre la Russie et la Turquie, répondit-il simplement.

Lord Beaconsfield grimaça un sourire.

— Exactement. Nous avons appris de source sûre que les Russes viennent d'atteindre Andrinople, qui ne se trouve qu'à quarante kilomètres de Constantinople.

Le marquis haussa les sourcils d'un air étonné.

— La reine est furieuse ! reprit lord Beaconsfield. Voilà des mois qu'elle tente de mettre en garde le Conseil des ministres contre le danger que représente l'offensive russe.

— Je suppose que l'objet de son inquiétude n'est pas le sort de la Turquie. Mais la prédominance de la Grande-Bretagne dans le monde est en jeu, n'est-ce pas ?

— Vous avez deviné. J'aurais dû me douter, mon cher marquis, que vous en saviez autant que moi !

— La reine m'a fait part de ses inquiétudes, la dernière fois que j'ai eu l'honneur de la rencontrer à Windsor.

Lord Beaconsfield poussa un profond soupir.

— Que ceci reste entre nous, mon cher, mais elle menace d'abdiquer !

Le marquis lança au Premier ministre un regard incrédule.

— Elle m'a écrit ce matin même, reprit lord Beaconsfield. Écoutez donc... « Si l'Angleterre a l'intention de se jeter aux pieds de la Russie, sachez que la reine n'acceptera jamais cette humiliation. Elle renoncera plutôt à sa couronne ! »

— Je doute cependant, que Sa Majesté ait l'intention d'aller jusque-là, fit remarquer le marquis.

— Écoutez la suite, cher ami : « Plût à Dieu que la reine fût un homme ! Elle n'aurait pas manqué de donner à ces détestables Russes la leçon qu'ils méritent ! »

Le marquis éclata de rire.

— Magnifique ! Un homme ne montrerait pas mieux sa détermination !

— Je suis entièrement de votre avis. Mon cher, je ne vous cacherai pas que ce qui nous fait cruellement défaut en ce moment, ce sont des renseignements précis sur la situation.

Lord Beaconsfield plongea son regard dans celui du marquis et il y eut quelques secondes de silence.

— Je commence à comprendre dans quelle mesure cette affaire me concerne, déclara finalement le marquis. Qu'attendez-vous de moi ?

— Voyez-vous... Pour agir convenablement, nous avons besoin d'une information de toute première main. Et seule une personne qui n'est pas encore engagée dans cet effroyable conflit pourrait nous la fournir...

— Une information de première main ! Mais où diable l'obtiendrai-je ?

Lord Beaconsfield se pencha légèrement en avant, sans quitter son interlocuteur des yeux.

— Je ne vous cache pas, monsieur le marquis, que nous fondons sur vous de grands espoirs. Votre perspicacité ne nous a jamais déçus.

— Disons que j'ai eu la chance de réussir en plusieurs occasions. Mais aujourd'hui la situation est différente. La Grande-Bretagne n'est pas engagée dans ce conflit !

— Du moins, pas encore.

— Que voulez-vous dire ?

— Il se peut que nous soyons poussés à faire une démonstration de force.

— Bien. Que dois-je faire ? demanda le marquis d'un ton résigné.

— Je veux que vous partiez immédiatement en mission secrète afin de nous rapporter tous les renseignements qui nous manquent.

— Tout simplement ! s'exclama le marquis d'un air incrédule.

— Je sais que cela ne sera pas facile. Mais la reine a confiance en vous. Vous parlez le russe et de plus, vous avez le chic pour débrouiller les situations les plus difficiles. Bref, vous êtes l'homme qu'il nous faut. Le royaume a besoin de vous !

Le marquis soupira lourdement.

— Dois-je partir tout de suite ?

— Sa Majesté suggère, et je suis entièrement de son avis, que vous preniez le train jusqu'à Athènes. Ensuite, vous pourrez embarquer sur votre propre yacht jusqu'à Constantinople. Là, vous prendrez contact avec nos informateurs. Inutile de vous en dire davantage, le Foreign Office et vous-même en savez plus que moi là-dessus.

— Je dois avouer que l'idée d'accomplir ce voyage ne m'enthousiasme guère, observa le marquis.

Traverser l'Europe dans un train inconfortable ne lui disait rien qui vaille. Comme s'il avait lu dans ses pensées, le ministre hocha la tête et sourit d'un air entendu.

— Sa Majesté a songé à cela. Aussi, elle met à votre disposition les wagons royaux qui, comme vous le savez, lui appartiennent. Ceux-ci se trouvent déjà à la gare du Nord à Bruxelles. Ils seront rattachés au train qui vous conduira d'Ostende à Athènes.

— C'est un grand honneur que me fait la reine. Sa Majesté n'a donc pas douté une seconde que j'accepterais de partir pour cette semaine de vacances en mer Égée !

— Mon cher Ridgmont, nous avons toujours su que nous pouvions nous appuyer sur vous.

— Très bien. Comme vous le savez peut-être, mon yacht est en ce moment ancré à Gibraltar.

— Télégraphiez immédiatement à votre capitaine de se mettre en route pour Athènes. De cette façon, il arrivera en même temps que vous.

— Vous n'avez oublié qu'une chose, monsieur le ministre. Ma réputation de séducteur. Personne ne voudra croire que le marquis de Ridgmont part en croisière seul sur son yacht ! Si les Russes ou les Turcs s'en aperçoivent, je crains que ceci n'éveille leurs soupçons et ne compromette gravement l'issue de ma mission !

Lord Beaconsfield éclata de rirc.

— La reine ne tient certes pas à vous imposer une compagne de son choix ! Mais je ne doute pas qu'avec votre réputation, vous ne sachiez en trouver une à votre goût. Il doit bien y avoir en ce moment à Londres une jolie personne que vous emmènerez volontiers en vacances sur votre yacht.

Le marquis ne répondit pas. En fait, il trouvait assez impertinent de la part de la reine d'avoir évoqué ce problème avec son Premier ministre. Quel manque de discrétion ! Lui qui ne parlait jamais à qui que ce soit de ses affaires de cœur !

Lord Beaconsfield lui lança un regard perçant.

— Nous avons entière confiance en vous, monsieur le marquis. Mais vous comprenez bien que personne... personne, vous m'entendez ? ne doit apprendre pourquoi votre yacht se trouve dans les Dardanelles, ou en route pour la mer Noire.

— C'est l'évidence même.

— Il est capital que nul ne conçoive le moindre soupçon. Si une rumeur venait à se répandre concernant les inquiétudes de la reine au sujet de cette affaire, vous savez que les conséquences en seraient catastrophiques.

— En d'autres termes, vous doutez qu'une femme puisse garder pour elle un pareil secret...

— Les femmes parlent toujours trop... quelles que soient les recommandations qu'on leur fasse à ce sujet. Par conséquent, il vous faudra trouver une compagne en qui vous puissiez avoir entièrement confiance.

Le ministre marqua une pause et une lueur malicieuse brilla dans ses yeux.

— Sa Majesté regrette fort que vous ne soyez pas marié.

Le marquis lui lança un regard horrifié.

— Si Sa Majesté exige que je renonce à ma liberté pour le service du pays, je préfère m'exiler en Amérique !

Le Premier ministre éclata de rire.

— Mon cher ami, ne vous effrayez pas ! Nous n'irons pas jusque-là. Mais je ne peux que vous recommander la plus extrême prudence dans votre choix. Rappelez-vous que les conversations sur l'oreiller sont les plus dangereuses qui soient !

— Sa Majesté abuse de mon patriotisme ! déclara le marquis avec un profond soupir.

— Au contraire. Cette mission est le plus grand compliment qu'elle puisse vous faire. Sa Majesté et moi-même savons que vous êtes le seul à avoir une chance de réussir.

— Monsieur le Premier ministre, je ne saurais résister à de tels arguments ! Tel Ulysse subjugué par le chant des sirènes, je succombe à votre éloquence.

Les deux hommes se dirigèrent vers la porte en riant.

— Les papiers nécessaires, les cartes et votre code secret seront chez vous dès ce soir, dit le ministre.

Serrant chaleureusement la main que le marquis lui tendait, il ajouta :

— Je vous remercie du fond du cœur. Comme vous le savez, cette situation me préoccupe beaucoup, bien que je n'en laisse rien paraître en public.

— J'espère que je ne décevrai pas vos espérances, répondit le marquis en le saluant.

Plongé dans ses réflexions, le marquis prit le chemin du retour. La demande du ministre l'avait pour le moins étonné.

La presse s'était gardée de dramatiser la situation en Europe de l'Est et la plupart des sujets britanniques s'en étaient de ce fait désintéressés.

Le tsar de Russie, Alexandre II, avait espéré trouver rapidement une solution au conflit, grâce à la Conférence de Constantinople. Mais le Sultan de Turquie avait rejeté toutes ses propositions. Les négociations s'étaient donc poursuivies. Deux semaines plus tard, alors qu'on paraissait sur le point de parvenir à un accord, le tsar avait soudain annoncé que sa patience était à bout et qu'il déclarait la guerre à la Turquie. Toutefois, le peuple britannique et les membres du Parlement étaient demeurés imperturbables. La Russie et la Turquie étaient des pays lointains et la guerre qu'ils se livraient ne concernait en rien le Royaume ni l'Empire.

Avec sa perspicacité habituelle, la reine avait compris avant tout le monde que la suprématie de la Russie au Moyen-Orient constituerait une grave menace pour la Grande-Bretagne. Le marquis ne put s'empêcher d'admirer l'extraordinaire clairvoyance de Victoria.

Lorsqu'il atteignit sa maison de Park Lane, il avait pris un certain nombre de décisions. Il lui serait impossible de quitter l'Angleterre avant dimanche.

En attendant, il avait de nombreux préparatifs à faire, et quelques rendez-vous à annuler. Ce départ inattendu bouleversait grandement ses projets, mais il s'agissait d'une mission de confiance qu'il n'aurait refusée sous aucun prétexte. D'autre part, il adorait l'imprévu et plongeait toujours tête baissée dans l'aventure, sans souci du danger.

Aussitôt arrivé à Ridge House, il appela son secrétaire. Mr. Grey était un homme d'âge mûr, qui le secondait parfaitement et en qui il avait toute confiance. En quelques mots, il lui expliqua où il devait se rendre et à quel endroit son yacht devrait l'attendre.

— Partirez-vous aujourd'hui à la campagne, comme cela était prévu, Monsieur le marquis ?

— Naturellement. Il faut que je règle quelques affaires là-bas avant mon départ.

— Je me permets de vous rappeler que vous avez invité Sir James Tancombe et sa sœur, Miss Nikola Tancombe pour le week-end.

— Je tiens absolument à voir Sir James. Quels sont les autres invités ?

— Lady Sarah Languish, qui, comme Monsieur le marquis s'en souvient sans doute, vous a elle-même demandé de la recevoir. J'ai également envoyé sur vos instructions une invitation à lord et lady Cleveland, ainsi qu'au capitaine Barclay.

Le marquis soupira. Sa conversation avec lord Beaconsfield lui avait fait perdre de vue ces mondanités. Mais avec sa vigilance habituelle, Grey avait déjà tout organisé. Ce week-end lui permettrait de se détendre et d'oublier momentanément les dangers qu'il affronterait bientôt.

— Quelles distractions pourrai-je offrir à mes amis, samedi ?

— J'ai pensé que Monsieur le marquis souhaiterait essayer les nouveaux chevaux qui sont arrivés d'Irlande. Mr. Gordon a prévu un dîner et une réception pour le soir.

Le marquis hocha la tête d'un air satisfait. Mr. Gordon remplissait à Newmarket les mêmes fonctions que Mr. Grey à Londres et il savait qu'il pouvait entièrement se reposer sur ces deux fidèles employés. Cela lui permettrait de préparer tranquillement la mission que le Premier ministre venait de lui confier.

— Je présume qu'il n'y a aucun inconvénient à ce que je fixe mon départ à dimanche ? Mes invités quitteront la maison en même temps que moi s'ils le souhaitent. Mais je pense qu'ils préféreront rester jusqu'à lundi.

— Naturellement, Monsieur le marquis. Le secrétaire du Premier ministre aura sans doute prévenu Bruxelles de tenir les wagons de Sa Majesté à votre disposition. Le dimanche, le ferry-boat est beaucoup moins fréquenté qu'en semaine et Monsieur le marquis voyagera plus confortablement.

— Très bien. Je partirai donc dimanche matin. Dawkins m'accompagnera.

Après avoir été l'ordonnance du marquis lorsqu'il servait dans la cavalerie, Dawkins était devenu son valet dans le civil. Le marquis connaissait mieux que personne ses qualités de courage et de discrétion, qui faisaient de lui un compagnon inestimable lors d'une mission dangereuse.

A quatre heures précises, il embarqua dans son train privé, qui l'attendait en gare de St. Pancras. A cinq heures et demie, le train s'arrêta à la Halte Ridgmont qui desservait uniquement la maison du marquis. Ses invités avaient pris un train de grande ligne, auquel avait été rattaché un wagon privé lui appartenant. Ils étaient probablement déjà arrivés à Ridge et se reposaient en dégustant une tasse de thé ou une coupe de champagne.

Le marquis préférait voyager seul. Il évitait de se rendre chez lui en compagnie de ses invités, afin de préserver le cérémonial de l'accueil, auquel il était très attaché.

Les visiteurs qui se rendaient à Ridge pour la première fois étaient généralement aussi impressionnés par cette demeure que par la personnalité du marquis. Ridge était un immense château, d'une architecture superbe. Construit sur une hauteur, ses fenêtres offraient une vue splendide sur toute la campagne environnante.

Le marquis n'avait pas proposé à James et Nikola de se rendre à Ridge en train, car ils habitaient la campagne et il leur serait plus facile de prendre la route. Mr. Grey leur avait fait savoir qu'ils seraient attendus à partir de six heures. Jimmy était bien décidé à ne pas être en retard, mais le voyage avait été plus long que prévu.

Il était exactement 6 h 20, lorsque leur attelage franchit les grilles du parc. Subjuguée, Nikola admira l'imposante allée bordée d'arbres centenaires qui formaient autour d'eux une arche de verdure. Puis, muette de stupéfaction, elle découvrit le manoir. Jamais elle n'avait vu une maison aussi belle.

Le soleil couchant illuminait de mille feux les fenêtres de la façade, lui donnant l'allure d'un château de contes de fées.

— C'est un merveilleux manoir, Jimmy! Et si grand! Comment un homme peut-il y demeurer seul?

— Le marquis ne vit pas en solitaire.

— J'espère que ses invités ne seront pas trop

nombreux. Je n'ai emporté qu'une seule robe de soirée.

— Dans ce cas, je te conseille de la porter dès ce soir. La première impression est toujours la plus importante.

Nikola haussa les sourcils, perplexe. Qui était-elle censée impressionner ? Elle savait par avance que rien de ce qu'elle dirait ou ferait, ne pourrait intéresser le marquis. De plus, un homme qui vivait dans un tel palais était sûrement entouré de femmes excessivement belles et sophistiquées qui l'éclipseraient aussitôt. La pensée d'avoir à affronter une société si brillante l'emplissait d'appréhension.

Nikola était la plupart du temps seule à King's Keep. Aussi, dès que son travail lui en laissait le temps, elle s'asseyait dans le jardin, où elle passait de longues heures à lire. Sa mère, qui adorait les livres, avait peu à peu doté King's Keep d'une riche bibliothèque.

« Nous n'avons pas les moyens de voyager, ma chérie, disait-elle parfois à Nikola. Mais grâce à tes lectures, tu apprendras beaucoup sur les pays étrangers. »

Alors qu'elle n'était qu'une toute petite fille, Nikola avait suivi les conseils de sa mère et elle dévorait d'énormes albums illustrés. Cette passion n'avait jamais cessé et aujourd'hui encore, elle passait le plus clair de son temps en compagnie des livres. Ainsi, elle avait découvert des pays qui l'avaient tellement fascinée, qu'elle avait désiré en apprendre le langage.

Une Française qui habitait leur village lui avait enseigné la langue de son pays. Sa mère avait ensuite découvert que l'un des professeurs de l'école voisine avait passé son enfance en Italie. Aussi, elle l'avait prié de donner des cours à Nikola.

Le chemin de son enfance et de son adolescence avait été ainsi parsemé de rencontres inattendues qui lui avaient permis de s'épanouir dans l'étude. Une autre personne lui avait donné des leçons d'espagnol. Puis, au moment où elle s'y attendait le moins, elle avait rencontré une jeune Russe.

Celle-ci allait comme elle à l'école du village. C'était la fille d'un diplomate russe, un comte qui avait eu le malheur d'encourir la colère du tsar et dont tous les biens avaient été confisqués. N'osant retourner dans son pays, il s'était installé dans la campagne anglaise, où il vivait pauvrement. Afin de faire subsister sa famille, il écrivait des articles sur la Russie. Il était également poète, mais aucun éditeur n'avait encore accepté de publier ses œuvres.

Nikola avait lu ses poèmes et les avait pourtant trouvés très émouvants. Natacha était rapidement devenue son amie et lady Tancombe, apitoyée par le sort de la fillette et de sa famille, l'invitait fréquemment à passer quelques jours à King's Keep.

Natacha était belle et intelligente. Très vite, elle enseigna à son amie sa langue maternelle, tandis que Nikola l'aidait à améliorer son anglais.

Finalement, un jour, le tsar Alexandre II annonça au comte qu'il lui accordait son pardon et qu'il pouvait revenir s'établir en Russie avec sa famille.

Les deux jeunes filles se firent des adieux déchirants.

— Nous ne nous reverrons jamais..., balbutia Natacha entre deux sanglots. Mais je te promets de toujours penser à toi.

— Moi aussi, répondit Nikola. Nous nous écrirons et tu me diras comment se passe ta vie en Russie.

Elles s'embrassèrent et Natacha partit, sous le regard triste de Nikola. Celle-ci sentit son cœur se gonfler de chagrin et un terrible pressentiment l'étreignit. Au moment où son amie disparut, elle eut la certitude qu'un sort tragique l'attendait dans son pays.

Ce n'est que deux ans plus tard, qu'elle apprit ce qui était arrivé. La jeune fille et ses parents avaient à peine mis le pied sur le sol de Saint-Pétersbourg, que le tsar, par un simple caprice de sa volonté, les avait bannis et exilés en Sibérie.

Nikola en avait conçu tant de haine pour la Russie qu'elle espérait ne jamais avoir affaire à ce pays détestable et à ses terribles habitants.

Lorsqu'elle arriva à Ridge, toutefois, elle était loin de penser à la Russie. Pleine d'admiration, elle contempla le splendide château de leur hôte. L'Angleterre était selon elle le seul pays où la demeure d'un particulier pouvait rivaliser avec celle d'un roi.

Quant au marquis, sans doute était-il aussi beau qu'un prince des Mille et Une Nuits. D'après les descriptions de Jimmy, il avait tant de prestance, son allure était si noble, qu'il était certainement l'homme le plus séduisant de Londres !

Dès leur arrivée, Jimmy et Nikola furent conduits à leurs chambres par une armée de serviteurs qui les invitèrent à se reposer avant le dîner. Émerveillée, Nikola observa les meubles précieux et les étoffes délicates qui composaient le décor de leurs appartements. Sa chambre lui parut si belle et si luxueuse, qu'elle douta de pouvoir s'y endormir. Un charmant boudoir, tendu de rideaux en velours bleu, la séparait de la chambre de son frère.

Un valet lui demanda si elle désirait une tasse de thé, mais elle refusa timidement, n'osant donner ce surcroît de travail aux domestiques. Lorsque le serviteur eut refermé la porte derrière lui, James traversa le boudoir et entra dans sa chambre.

— Ne sois donc pas stupide, Nikola. Accepte tout ce que l'on t'offrira. Tu n'es pas près de revoir un luxe pareil !

— Je suis... sidérée ! Tout est si beau...

— Surtout les tableaux ! fit remarquer Jimmy en désignant d'un geste large, les nombreuses peintures qui ornaient les murs.

— Comment le marquis peut-il en désirer davantage ? interrogea Nikola, songeuse.

— N'oublie pas que c'est un collectionneur ! Lorsqu'il verra les œuvres que je lui ai apportées, il ne pourra pas résister.

— Quel dommage ! J'aurais tant aimé que nous nous trouvions là uniquement pour notre plaisir, au lieu de trembler à chaque instant que le marquis ne découvre le pot aux roses !

— Lorsque tu l'auras rencontré, tu comprendras que tes craintes sont vaines. J'imagine mal un personnage tel que lui en train de déambuler dans le vieux manoir de Tante Alice, qui sent la poussière et la naphtaline.

Nikola ne put s'empêcher de sourire à cette idée.

— Et maintenant, cesse de te torturer ! lui ordonna Jimmy d'un ton sec. Je t'affirme que nous ne risquons rien. Et bientôt, nous repartirons avec un joli chèque qui me permettra d'embellir King's Keep à ma guise.

Avec un soupir de résignation, Nikola retourna à sa chambre. Ses bagages avaient été défaits et ses vêtements étaient déjà suspendus dans l'armoire. Elle passa la main sur le tissu soyeux de sa robe neuve, et l'admira encore une fois. Puis, avec une mine désabusée, elle observa l'aspect défraîchi des deux autres robes qu'elle avait dû emporter.

Depuis des mois, elle essayait en vain de faire

quelques économies afin de s'acheter une nouvelle robe. La somme que James lui allouait suffisait à peine à l'entretien de la maison. L'hiver dernier, il avait dû se résigner à lui acheter un manteau, sans quoi elle serait morte de froid. Mais il lui avait tant reproché cette dépense, qu'elle s'était juré de ne plus rien lui demander. L'année prochaine, songea-t-elle, perplexe, elle devrait utiliser de vieilles couvertures pour se confectionner des vêtements chauds !

James avait retiré beaucoup d'argent des objets qu'il avait vendus, mais il ne lui avait pas accordé le moindre penny pour ses dépenses personnelles. Combien de temps durerait sa dernière paire de chaussures ? se demanda-t-elle avec une petite grimace de dépit. Elle avait déjà usé tous les vêtements que sa mère lui avait laissés. Et si elle pouvait fabriquer ses robes, il n'en allait pas de même pour les bas et les gants !

Bien que les hommes puissent malgré tout lui trouver du charme, les femmes ne manqueraient pas de remarquer ses vêtements démodés et son manque d'élégance.

« Tant pis ! murmura-t-elle en hochant la tête. Ce soir, je porterai ma nouvelle robe. Et il faudra bien que le marquis accepte de me voir habillée chaque soir de la même façon ! »

Cette préoccupation lui parut soudain si ridicule, qu'elle émit un léger rire cristallin. Les femmes de chambre avaient préparé un bain chaud devant la cheminée et elle se déshabilla rapidement, décidée à profiter de tout le luxe mis à sa disposition. Deux servantes entrèrent, chargées de brocs de cuivre contenant de l'eau fumante qu'elles versèrent dans la baignoire.

Nikola croyait rêver.

Tout se passait comme dans l'un des romans d'amour et d'aventure qu'elle aimait à lire quelquefois.

Avec un petit rire joyeux, elle trempa le bout de son pied dans l'eau, afin d'en éprouver la température.

4

Contrairement à son habitude, le marquis n'alla pas saluer ses invités à leur arrivée. Auparavant, il avait d'importantes instructions à donner à son secrétaire et il tenait à discuter avec Dawkins des préparatifs de leur voyage.

Lorsque le majordome vint lui annoncer que ses invités l'attendaient, il était déjà fort tard. Le marquis se rendit directement à sa chambre, afin de se changer pour le dîner.

Tout en revêtant son costume de soirée, il repensa à la compagne qu'il devrait choisir pour cette croisière et aux conseils de prudence de lord Beaconsfield. Or, il n'y avait qu'une seule femme à sa connaissance, susceptible de partir avec lui. Il s'agissait de lady Sarah Languish.

De toutes les jeunes beautés qu'il avait courtisées récemment, elle était la seule à ne pas être dotée d'un mari encombrant ! Lady Sarah était la fille du duc de Dorset. Très jeune, elle s'était éprise d'un aristocrate libertin et peu fortuné.

Ce mariage avait tout d'abord paru acceptable à ses parents et les fiançailles avaient été officiellement annoncées. Puis le duc avait rencontré le père de son futur gendre, afin d'établir le contrat de mariage. C'est alors qu'il s'était rendu compte que Ronald Languish n'avait pas un sou vaillant.

Mais il était trop tard pour revenir en arrière et empêcher le mariage d'avoir lieu. Le duc ne put que regretter le choix malheureux de sa fille.

Sarah, qui avait à peine dix-huit ans, était follement amoureuse de son fiancé. Celui-ci avait dix ans de plus qu'elle et sa réputation de séducteur était largement méritée. La jeunesse et la beauté de lady Sarah l'avaient conquis, de même que la fortune du duc, ses nombreuses maisons et ses splendides chevaux de course.

Toutefois, lorsque le jeune couple se retrouva installé dans une modeste demeure, le mariage perdit pour eux beaucoup de son attrait. Sarah avait été excessivement choyée par ses parents. Quand elle découvrit qu'elle devrait désormais se priver du luxe auquel elle était habituée depuis son enfance, sa passion pour Ronald Languish ne tarda pas à s'éteindre.

Au bout de quelques mois, les disputes devinrent quotidiennes et après deux ans de mariage, les époux se séparèrent. Le duc de Dorset poussa un soupir de soulagement lorsque Ronald Languish perdit la vie au cours d'un steeple-chase. Le cheval qu'il montait avait fait un brusque écart devant un obstacle trop haut pour lui. Dans sa chute, Ronald s'était brisé la colonne vertébrale et les médecins craignaient qu'il ne demeure paralysé pour le restant de ses jours. Mais après être resté plusieurs heures entre la vie et la mort, il avait succombé. Loin d'en concevoir du chagrin, son épouse s'était réjouie de l'événement et elle ne prit même pas la peine de porter le deuil.

Ayant ainsi recouvré sa liberté, lady Sarah avait la ferme intention de la garder. A l'apogée de sa beauté, elle était une des femmes les plus courtisées de Londres et allait d'amant en amant. Son élégance et sa séduction étaient si réputées, que lorsque sa luxueuse victoria traversait les allées de Hyde Park, certains promeneurs allaient jusqu'à monter sur leurs chaises afin de l'apercevoir.

Au cours d'une brillante soirée, lady Sarah fut présentée au marquis de Ridgmont. C'est alors qu'elle décida de se plier à la volonté de son père, qui la pressait de se remarier. La personne du marquis avait tout pour la charmer. De plus, il était immensément riche.

La jeune femme décida d'entreprendre sa conquête. Naturellement, elle était beaucoup trop fine pour laisser entrevoir ses intentions et provoquer des commérages dans les cercles londoniens. Néanmoins, elle se jura d'arriver à ses fins. Le marquis deviendrait son second époux !

La liaison notoire qu'il entretenait avec lady Lessington ne la découragea point. Lord Lessington était en excellente santé et il était hors de question que son épouse demande le divorce. Lady Sarah se contenta d'attendre patiemment que lady Lessington tombe en disgrâce dans le cœur du marquis, afin de jeter sur lui son dévolu.

Le jour où son ami William Barclay lui apprit qu'il était invité à Ridge, lady Sarah comprit immédiatement qu'une chance exceptionnelle se présentait. Elle allait enfin pouvoir s'insinuer dans le cercle restreint des intimes du marquis !

— Serez-vous nombreux ? demanda-t-elle d'un ton détaché.

— Je ne pense pas, le marquis n'apprécie pas les trop grandes réunions. Les Cleveland et moi, probablement. Nous en profiterons pour essayer les nouveaux chevaux que Blake a achetés en Irlande. Il espère une fois de plus nous faire pâlir de jalousie !

Lady Sarah rit à la plaisanterie de son ami, satisfaite de ce qu'elle venait d'apprendre. Le marquis avait invité quelques amis pour le week-end, mais lady Lessington ne figurait pas parmi les heureux élus ! Le moment qu'elle attendait depuis si longtemps était peut-être arrivé.

Un matin, certaine que le marquis ne se trouverait pas chez lui, elle se rendit à sa maison de Park Lane et demanda à voir son secrétaire. Mr. Grey entra précipitamment dans la bibliothèque où elle l'attendait. Lady Sarah lui adressa un sourire suave.

— Bonjour. On m'a dit que M. le marquis de Ridgmont était absent.

— Oui, Votre Grâce. M. le marquis ne sera de retour que dans l'après-midi.

— Dans ce cas, voudrez-vous lui demander s'il permet que je me rende à Ridge vendredi soir et que j'y demeure jusqu'à dimanche ? J'ai une affaire à régler dans la région et je lui serais reconnaissante de m'accorder l'hospitalité.

— Je transmettrai votre message à M. le marquis dès son retour.

— Merci. Me ferez-vous parvenir sa réponse ?

— Ce soir même, Votre Grâce.

— Vous êtes très aimable, déclara lady Sarah de sa voix douce et envoûtante.

Dans un bruissement de soie, elle se retira, non sans avoir adressé à Mr. Grey un sourire qu'il n'était pas près d'oublier.

Pensif, il se dit que cette jeune femme était vraiment adorable. Son maître était sans doute du même avis que lui, mais... comment en être certain ? Tant de belles personnes s'étaient succédé auprès de lui ! Chacune n'était restée que quelques mois, car le marquis se lassait vite de ses conquêtes.

« Je me demande ce qu'il recherche chez une femme », s'interrogea Mr. Grey en s'installant devant son bureau. Puis, avec un soupir résigné, il se remit à son travail. Les affaires de cœur de son maître ne le concernaient pas.

Le marquis avait fini de s'habiller. Adossé au manteau de la cheminée, il réfléchissait. Si lady Sarah devait partir avec lui dimanche, il fallait qu'il l'invite dès ce soir, ou au plus tard le lendemain matin. Il était certain qu'elle accepterait son offre. Mais à coup sûr, elle lui demanderait un délai de vingt-quatre heures, afin de préparer ses bagages. Avant d'entreprendre un aussi long voyage, elle désirerait sans doute acheter mille petits riens, dont les femmes ne pouvaient se passer. Cela retarderait son départ. Quel ennui !

Le marquis poussa un profond soupir. La présence de cette jeune personne lui permettrait du moins de trouver le temps moins long, pendant ce fastidieux voyage en train. De plus, le sachant accompagné d'une femme, nul ne se demanderait la raison de cette croisière au large de la Grèce, ou le long des côtes de Bulgarie.

Jetant un bref regard au miroir, il s'assura que sa tenue était parfaite. Puis, plongé dans ses pensées, il s'engagea dans le large couloir qui menait à l'escalier d'honneur. De là, sans dévoiler sa présence, il observa un instant le vestibule.

Deux laquais, revêtus de la superbe livrée de Ridge, transportaient des plateaux d'argent chargés de coupes de cristal. Le maître d'hôtel, qui portait une perruque poudrée, s'apprêtait à faire entrer les invités au salon. De chaque côté de l'imposante cheminée de marbre, on avait accroché les étendards que ses ancêtres avaient conquis lors de sanglantes batailles, et qui témoignaient de la gloire des Ridgmont.

De part et d'autre de l'escalier, de somptueux tableaux ornaient le hall. La plupart se trouvaient là depuis plus de cent ans, songea-t-il avec fierté. Cela lui rappela que sir James Tancombe lui avait promis de nouveaux chefs-d'œuvre. A cette pensée, un sourire de contentement étira ses lèvres. Si ces nouveaux tableaux étaient aussi bons que le Dughet qu'il venait d'acquérir, ils auraient leur place dans la nouvelle galerie de l'aile est du château !

Le marquis avait créé cette galerie quelques mois auparavant, afin d'y caser ses nouvelles acquisitions. Les plus beaux tableaux qui se trouvaient dans le manoir avaient été achetés par son père et il désirait poursuivre cette prestigieuse collection. Il espérait que son choix serait aussi avisé que celui de ses ancêtres.

Lorsqu'il pénétra dans le salon, lord et lady Cleveland s'y trouvaient déjà, riant et conversant avec lady Sarah. Dès qu'elle l'aperçut, lady Cleveland quitta la bergère dans laquelle elle était installée et vint à sa rencontre.

— Blake, comme je suis heureuse de vous voir ! J'adore venir à Ridge ! Et votre manoir est encore plus beau que lors de notre dernière visite.

— Votre compliment me touche infiniment, répondit le marquis. Ravi de vous voir, mon cher Arthur, dit-il à lord Cleveland en lui serrant la main.

Lord et lady Cleveland étaient de lointains cousins, dont il avait toujours apprécié la compagnie.

Puis il se tourna vers lady Sarah. Celle-ci se tenait un peu à l'écart, de sorte qu'il eut amplement le temps d'admirer son superbe profil avant de la saluer. Se tournant brusquement vers lui, la jeune femme lui tendit les deux mains et lui lança un regard ensorceleur.

— Me pardonnez-vous d'avoir ainsi envahi votre demeure ?

— Ma chère, vous êtes la bienvenue.

Les yeux de lady Sarah brillèrent soudain d'un éclat particulier. Il n'en fallut pas plus au marquis pour deviner quelle était la raison de cette visite inopinée et comment la soirée se terminerait. Avec effort, il se détourna de la jeune beauté, dont le regard lc captivait irrésistiblement.

— Pour quelle raison riiez-vous, lorsque je suis entré ? demanda-t-il à lady Cleveland.

Celle-ci sourit d'un air malicieux.

— Sarah nous racontait une histoire très coquine au sujet de George Hamilton. Mais j'ai juré le secret, aussi je ne puis la répéter !

— Sauf à moi, naturellement ! s'exclama le marquis d'un ton léger.

Mais en son for intérieur, il fut profondément choqué par la désinvolture de lady Sarah. Le duc d'Hamilton était un homme âgé et respecté de tous. Si la jeune femme se permettait de colporter des ragots à son sujet, cela signifiait qu'on ne pouvait lui faire confiance. Dans ce cas, il était hors de question qu'il lui avoue le but de son voyage ! Que faire ?

La porte du salon s'ouvrit, interrompant le marquis dans ses réflexions.

— Sir James Tancombe et Miss Nikola Tancombe ! annonça le maître d'hôtel.

Le marquis se retourna et vit Nikola qui s'avançait gracieusement vers lui dans un froissement de soie. Par un extraordinaire hasard, sa robe turquoise se mariait à la perfection avec les tons de bleu du salon de Ridge. Les murs de celui-ci étaient recouverts d'un tissu bleu pâle parsemé de feuilles d'or et les fauteuils, de style Louis XIV, étaient tapissés de velours bleu. Même les tapis, qui avaient été choisis en fonction du mobilier, ajoutaient une note d'un bleu délicat à cette délicieuse harmonie. Fasciné par l'apparition de la jeune femme, le marquis crut voir une de ses plus belles porcelaines de Sèvres soudain animée d'un souffle de vie. Le souvenir d'un admirable portrait exécuté par Boucher lui revint également en mémoire. Le modèle portait une robe exactement du même bleu que celle de Nikola.

— Je suis content de vous voir, sir James, déclara-t-il en tendant la main à Jimmy. Et... ravi que votre sœur ait pu vous accompagner.

Nikola adressa une légère révérence au marquis, qui saisit sa main. Avec un certain étonnement, il s'aperçut qu'elle tremblait et il eut un instant l'impression de tenir un oiseau apeuré entre ses doigts. Il plongea ses yeux sombres dans le regard limpide de Nikola et eut la certitude qu'elle avait peur. Afin de la rassurer, il pressa légèrement sa main et la tint un peu plus longtemps qu'il n'était nécessaire.

— Je désire vous présenter mes amis, lui dit-il doucement. Nous ne sommes pas très nombreux.

A cet instant, le capitaine Barclay fit son entrée.

— Suis-je très en retard ? Mon cher Blake, je suis absolument désolé ! J'ai égaré mon épingle à cravate et j'ai dû vous en emprunter une.

Lady Cleveland le taquina sur sa négligence et il se tourna en souriant vers lady Sarah pour la saluer. Puis le marquis le présenta à James et à Nikola.

— Pourquoi ne nous sommes-nous jamais rencontrés à Londres ? s'exclama-t-il en adressant à Nikola un sourire admiratif. Où donc vous cachiez-vous ?

— Dans notre maison, à la campagne.

— Un endroit merveilleux, qui se nomme King's Keep, intervint lady Cleveland. Notre hôte nous en a beaucoup parlé.

— Votre maison doit être remarquable.

— Les Tancombe en ont toujours été très fiers, répondit Nikola. Mais naturellement, ils ont un préjugé en faveur de leur propre demeure !

William Barclay lui parut si sympathique, qu'elle n'éprouva aucune timidité à parler avec lui et elle fut ravie d'être placée à sa droite pour le dîner. Le marquis était entouré par lady Cleveland et lady Sarah. Nikola lui jeta un coup d'œil furtif et le trouva encore plus intimidant que dans son imagination. Installé tout au bout de la table, dans un large fauteuil sculpté, il avait une allure véritablement royale, songea-t-elle, impressionnée. Pourtant, il émanait de sa personne une sensibilité exceptionnelle.

Jimmy lui avait beaucoup parlé du marquis et de son amour de la perfection. Nikola en avait conclu qu'il s'agissait d'un homme exigeant, perspicace... et dangereux. Levant craintivement les yeux sur lui, elle croisa son regard perçant. « Un regard d'aigle », songea-t-elle en se remémorant certaines paroles de son père.

« Les aigles voient mieux et plus loin que tous les autres oiseaux, lui avait-il dit. Rien nc leur échappe. »

Tout en bavardant avec Willie et avec lord Cleveland, qui se trouvait à sa droite, elle sentit encore le regard du marquis peser sur elle.

« Cet homme est dangereux, se répétait-elle, le cœur lourd. Que se passera-t-il s'il perce notre secret à jour ? »

On leur servit un dîner raffiné, accompagné de vins provenant des meilleurs crus. Le marquis et ses invités bavardaient gaiement, rivalisant d'esprit et de charme. Jamais auparavant, Nikola ne s'était trouvée en si brillante compagnie. Pourtant, ni le repas agréable ni la conversation plaisante de ses voisins de table ne parvinrent à chasser le malaise qui s'était emparé d'elle.

A la fin du repas, les dames se retirèrent, laissant les messieurs déguster leur porto. Nikola admira longuement les magnifiques tableaux de maîtres qui ornaient les murs du salon.

« Pourquoi le marquis en désire-t-il de nouveaux ? s'interrogea-t-elle avec un brin d'irritation. Ne possède-t-il pas suffisamment de chefs-d'œuvre ? Quel orgueil le pousse donc à en acheter d'autres ? »

— Venez donc vous asseoir près de moi et parlez-moi de vous, Miss Tancombe ! s'exclama aimablement lady Cleveland en s'installant dans un profond fauteuil de soie damassée.

Lady Cleveland était une personne sensible et chaleureuse. Le désarroi dans lequel se trouvait Nikola ne lui avait pas échappé. Mais elle le mettait sur le compte de la timidité et tenait à rassurer cette jeune personne.

— Je suis impressionnée par la splendeur de ce manoir, avoua Nikola en s'asseyant sur le sofa que lui désignait lady Cleveland.

— Comme tous les visiteurs qui viennent à Ridge pour la première fois !

— Le marquis doit être las d'entendre autant de compliments.

— Bien au contraire. Je pense qu'il serait déçu et irrité si on ne lui en faisait pas !

— Il ressemble donc en cela à mon frère. James adore King's Keep et il ne comprendrait pas que sa maison laisse quelqu'un indifférent.

— Les hommes sont bien tous les mêmes, répliqua lady Cleveland. Mon mari, lui, ne vit que pour ses chevaux. Et tous nos invités sont tenus de visiter l'écurie en priorité !

Nikola eut un rire amusé. Grâce à la gentillesse de lady Cleveland, elle sentit son angoisse se dissiper quelque peu et elle parvint à se détendre. Au bout de quelques minutes, les messieurs les rejoignirent.

Dès qu'il entra dans le salon, le marquis remarqua les tables de jeu, que les domestiques avaient déjà installées dans un coin de la vaste pièce.

— Iris, dit-il en s'adressant à lady Cleveland, vous désirez certainement faire une partie de bridge. Willie et lady Sarah joueront avec vous.

Mais lady Sarah posa la main sur son bras, d'un air possessif.

— J'aimerais être votre partenaire, lui dit-elle d'une voix suave.

— Plus tard, ma chère. Je dois auparavant m'entretenir dans mon bureau avec sir James et sa sœur. Lorsque nous aurons terminé, peut-être pourrons-nous faire une partie de baccara.

Une ombre de déception voila les yeux de lady Sarah. Mais force lui fut d'obéir à son hôte.

La gorge de nouveau nouée par l'angoisse, Nikola sortit de la pièce avec James et le marquis.

— Les toiles se trouvent dans ma chambre. Je vais les chercher ! déclara Jimmy, le regard brillant d'excitation.

— Mon valet s'en serait chargé, mais je suppose que vous préférez transporter vous-même ce précieux fardeau.

Jimmy se dirigea vers sa chambre, tandis que le marquis guidait Nikola le long d'un immense corridor. Le bureau du marquis était exactement comme elle l'avait imaginé. Les murs étaient couverts de tableaux de scènes de chasse et au-dessus de la cheminée se trouvait une très belle toile de Stubbs, représentant un cheval. Les fauteuils de cuir rouge sombre donnaient à la pièce un aspect chaleureux et confortable.

A leur arrivée, les deux épagneuls couchés devant la cheminée se levèrent et vinrent accueillir leur maître avec des jappements joyeux.

Médusée, Nikola observa l'imposant bureau d'acajou et la vitrine de style Chippendale, dans laquelle se trouvaient des livres anciens magnifiquement reliés. De lourdes tentures de velours rouge, assorties aux fauteuils, achevaient de donner à la pièce un aspect de luxe raffiné. Quel goût exquis ! se dit Nikola, émerveillée. La décoration de cette pièce était admirable. Une fois encore, le marquis avait atteint la perfection.

— Asseyez-vous, miss Tancombe. J'espère que vous avez passé une bonne soirée.

— Excellente. Mais votre maison est si belle, que j'en ai le souffle coupé.

— J'apprécie votre compliment. Toutefois... vous paraissez intimidée et j'en éprouve quelque inquiétude.

Déconcertée, Nikola garda le silence et s'absorba dans la contemplation du feu qui brûlait dans la cheminée.

— Vous êtes très jolie, poursuivit le marquis. Pourquoi souriez-vous si rarement ? Un visage aussi beau que le vôtre est fait pour le bonheur.

Surprise par ces paroles flatteuses, Nikola releva brusquement les yeux et croisa le regard du marquis. Un instant, elle admira ses traits virils et son regard sombre. Mais sentant ses joues s'empourprer, elle s'empressa de détourner la tête.

— Je... ne suis pas habituée à recevoir des compliments, balbutia-t-elle.

— King's Keep se trouve-t-il au milieu d'un désert, ou les hommes du voisinage sont-ils tous aveugles ? s'enquit le marquis avec un sourire narquois.

Nikola se détendit un peu et se mit à rire.

— Je n'ai pas souvent l'occasion de rencontrer des jeunes gens. Les amis de James sont en général si captivés par notre maison et la collection de tableaux de mon père, qu'ils ne prennent même pas le temps de me regarder !

— Que c'est triste ! s'exclama le marquis en riant. Lorsque je vous ai vue entrer dans le salon ce soir, revêtue de cette robe ravissante, j'ai cru rêver. Votre toilette s'harmonise si bien avec les couleurs de cette pièce, que l'on pourrait croire qu'elles ont été créées l'une pour l'autre.

— Effectivement..., murmura Nikola. Les porcelaines... et les chaises sont assorties à ma robe. Je ne m'en étais pas aperçue.

— Je suis certain que ce n'est pas un simple hasard ! Lorsque vous l'avez achetée, vous avez dû avoir le pressentiment qu'elle était destinée à être portée ici.

Nikola resta sans voix. Le marquis aurait été surpris d'apprendre qu'elle avait elle-même confectionné cette robe, en moins de deux jours !

A ce moment, la porte s'ouvrit et Jimmy apparut, transportant les toiles. Comme chaque fois qu'il était question de l'embellissement de King's Keep, son regard était animé et toute sa personne semblait rayonner de joie. Il s'agissait de ce qu'il aimait le plus au monde : sa maison.

Installé dans son fauteuil, le marquis avait une allure si majestueuse, que Nikola ne put s'empêcher de le comparer à Jupiter, jetant du haut de l'Olympe un regard condescendant sur de pauvres mortels.

Jimmy lui montra tout d'abord le Van Leyden. Le marquis n'était pas un acheteur ordinaire et Jimmy eut l'habileté de ne pas vanter le tableau, le laissant découvrir lui-même la subtilité des couleurs et l'expression des personnages. Le marquis hocha simplement la tête en silence.

— Celui-ci est un Mabuse, déclara Jimmy en posant le deuxième tableau devant lui.

Le marquis se pencha en avant, le regard soudain animé d'une lueur nouvelle.

— C'est le portrait de Jacqueline de Bourgogne ! Comment vous trouvez-vous en possession de ce tableau ?

— C'est mon père qui l'avait acheté, répondit Jimmy sans se troubler. Je ne sais pas exactement dans quelles circonstances. Mais je trouve que c'est une toile exceptionnelle.

— Je suis absolument d'accord avec vous !

Puis, avec l'air d'un magicien sur le point d'accomplir son numéro le plus difficile, Jimmy saisit enfin la dernière toile et la posa sur une chaise afin de la faire admirer au marquis. Il s'agissait de « La Madone des Roses ».

— Un Lochner ! s'exclama le marquis, stupéfait.

— Une de ses plus belles œuvres. Ma sœur est dévorée de chagrin à l'idée de s'en séparer.

Le marquis porta ses regards sur Nikola. Les yeux fixés sur la toile, celle-ci adressa à la Madone une prière silencieuse. Il y eut quelques secondes de profond silence, puis le marquis reprit la parole.

— Tancombe, je ne peux que vous remercier de m'avoir apporté ces tableaux. Je serai fier de les rajouter à ma collection.

— J'étais certain que vous apprécieriez ces œuvres. Tout particulièrement le Lochner.

— Il est d'une exquise beauté. J'espère ne jamais devoir m'en séparer.

— C'était également mon sentiment. Mais hélas, il y a tant à faire à King's Keep ! Nous savons tous que l'entretien d'une maison coûte excessivement cher.

Soudain, Nikola trouva cette situation insoutenable. Les mensonges de son frère la bouleversaient. D'autre part, il était clair qu'à présent les deux hommes allaient discuter du prix des tableaux. Elle n'assisterait pas à ce marchandage ! résolut-elle, révoltée. « La Madone des Roses » était une image si belle et si sacrée, qu'on ne pouvait en parler en termes d'argent sans proférer un véritable blasphème.

— Voulez-vous me permettre de me retirer, my lord ? demanda-t-elle en se levant. Le voyage m'a fatiguée et j'ai une légère migraine.

— Naturellement ! s'exclama le marquis, d'un ton plein de sollicitude. Je vous en prie, Miss Tancombe.

— Merci, murmura Nikola.

Le marquis la devança et lui ouvrit lui-même la porte.

— Je vous souhaite une bonne nuit, lui dit-il d'une voix grave et profonde.

Nikola sortit en lui adressant un faible sourire. Au bout de quelques secondes, elle entendit la porte se refermer doucement derrière elle. La transaction allait avoir lieu. Jimmy commencerait par demander une somme très élevée et l'affaire ne serait conclue qu'après un marchandage opiniâtre.

« Si seulement nous avions pu garder « La Madone des Roses », murmura Nikola en s'éloignant. Je suis sûre qu'elle nous aurait accordé sa divine protection pour toujours. »

Le marquis avait paru très étonné que Jimmy

désire vendre ce tableau. C'était une pièce inestimable, que tout collectionneur aurait rêvé de posséder. Nikola regretta que son frère n'ait pas proposé au marquis une œuvre de moindre importance. Mais il était trop tard pour revenir en arrière.

Le cœur lourd, elle pénétra dans sa chambre. Peu habituée aux usages des grandes maisons, elle n'osa sonner la femme de chambre et se débattit elle-même avec les minuscules boutons de nacre de sa robe. Tout en suspendant sa toilette dans l'armoire, elle repensa aux paroles de leur hôte. Les rideaux de la chambre d'amis de King's Keep étaient parfaitement assortis au salon de Ridge. Quel étrange hasard !

« Voilà une chose à laquelle maman n'a sûrement pas pensé en choisissant ce tissu ! » se dit-elle avec un sourire amusé.

Nikola se coucha dans le grand lit à baldaquin, mais malgré sa fatigue, elle ne parvint pas à trouver le sommeil. Que se passait-il en ce moment dans le bureau du marquis ? Quelle somme Jimmy retirerait-il de cette vente ? Ces questions tournaient sans cesse dans sa tête.

Jimmy ne revint dans sa chambre que deux heures plus tard. Il entrouvrit légèrement la porte du boudoir.

— Nikola ? chuchota-t-il. Dors-tu déjà ?

La jeune femme se redressa brusquement. Le chandelier qui se trouvait sur sa table de nuit était encore éclairé. Elle vit Jimmy s'avancer dans la pièce et s'asseoir à côté d'elle.

— Sais-tu combien le marquis m'a offert ?

— Je n'en ai aucune idée.

— Dix mille livres.

Nikola ne put réprimer un petit cri de surprise.

— Je... je ne peux le croire !

— J'avoue que c'est extraordinaire.
— Est-ce... la somme que tu lui as demandée ?
— Oui. Et il me l'a accordée sans discuter.
— C'est... impossible !
— C'est pourtant la pure vérité. A présent, je pourrai faire tout ce que je voudrai à King's Keep. J'achèterai même le nouveau fourneau que tu me réclames depuis si longtemps pour la cuisine.
— Quelle chance ! Mais... es-tu bien sûr qu'il ne soupçonne rien ?
— Pour quelle raison soupçonnerait-il quoi que ce soit ?
— Je trouve curieux qu'il t'ait donné cette somme sans même essayer de marchander.
— Nous avons marchandé pour le Dughet. D'ailleurs... je me demande à présent si je n'ai pas fait une erreur en le lui laissant à si bas prix.
— Jimmy ! Tu devrais tomber à genoux et remercier Dieu de ce que tu as déjà obtenu ! Et maintenant, Jimmy... j'ai quelque chose à te demander.
— Quoi donc ? interrogea son frère, légèrement sur ses gardes.
— Eh bien... avec la somme que tu as obtenue aujourd'hui, tu n'auras pas besoin de recommencer, n'est-ce pas ?
Jimmy se leva et arpenta la chambre.
— Non. Pas dans l'immédiat.
— Oh, Jimmy ! Je serais si contente si tu me promettais de ne jamais recommencer !
— Nul ne sait de quoi l'avenir sera fait, répliqua son frère en se dirigeant vers la porte.
Visiblement, l'insistance de Nikola l'irritait.
— Si tu veux savoir la vérité, reprit-il en se retournant, je suis très content de moi. Contrairement à ce que tu penses, j'estime que j'ai eu une idée de génie !

Sans attendre la réponse de sa sœur, il passa dans le boudoir et claqua la porte derrière lui.

Nikola adressa tout bas une nouvelle prière à « La Madone des Roses ». Le danger qu'elle redoutait tant était enfin derrière eux. Mais, sans qu'elle puisse en comprendre la raison, une sourde angoisse l'habitait malgré tout.

Lorsque Nikola s'éveilla le lendemain matin, un soleil lumineux inondait la campagne. Devant la journée radieuse qui s'annonçait, elle sentit aussitôt ses craintes de la veille se dissiper. Une jeune servante souriante lui apporta une tasse de thé et lui apprit que le marquis ferait une promenade à cheval après le petit déjeuner. Si ses invités désiraient se joindre à lui, ils seraient les bienvenus.

Jimmy lui avait tant vanté l'écurie de leur hôte, que Nikola avait secrètement espéré qu'une telle occasion se présente. Sa tenue d'amazone se trouvait dans l'armoire. Elle avait appartenu à sa mère et Nikola la portait déjà depuis plusieurs années. La coupe en était très belle et la veste était si seyante, qu'elle semblait avoir été faite pour elle. Seule la cravate était un peu usée. Mais Nikola l'avait lavée et amidonnée avant de partir. Elle la noua crânement sous son menton et contempla le résultat d'un air satisfait. Nul n'aurait pu soupçonner que la soie en était défraîchie ! Quant au chapeau, elle ne possédait pas le traditionnel haut-de-forme qui était de rigueur pour la chasse, ni de chapeau melon, en vogue depuis quelques années. Elle se contenta donc de l'un de ses vieux chapeaux noirs, autour duquel elle avait noué une écharpe en mousseline de soie blanche. Jetant un coup d'œil au miroir de sa chambre, elle hocha la tête avec un sourire de contentement et s'empressa de descendre le large escalier de marbre.

Lorsqu'elle entra dans la salle à manger où le petit déjeuner était déjà servi, son frère, lord Cleveland et William Barclay étaient en grande conversation. Le marquis vint les rejoindre alors qu'elle s'installait à côté de Jimmy.

— Bonjour ! s'exclama-t-il en souriant à ses invités.

Puis il se tourna vers Nikola.

— J'espère que vous vous sentez mieux, miss Tancombe ?

— Oui... merci.

— Vous nous avez manqué, hier soir ! remarqua Willie. Mais votre frère s'est chargé de vider ma bourse.

Nikola poussa un soupir de soulagement en apprenant que Jimmy n'avait pas perdu d'argent au jeu. Cela lui remit en mémoire le gain fabuleux qu'il avait fait sur les tableaux.

— C'était sans doute son jour de chance ! lança-t-elle d'un ton léger.

— Et nous avons la chance infinie de vous avoir parmi nous ce matin, poursuivit galamment William.

On donna à Nikola un superbe cheval alezan, d'une parfaite docilité. A sa grande joie, Jimmy se vit attribuer l'un des plus vifs spécimens de l'écurie. Quant au marquis, il montait un jeune étalon particulièrement fougueux, qui paraissait bien décidé à se débarrasser de son cavalier à la première occasion ! Subjuguée, Nikola observa la lutte entre l'homme et l'animal. Mais comme elle put le constater rapidement, le marquis avait largement mérité sa réputation d'excellent cavalier.

Les quatre hommes disputèrent alors une course dont il sortit vainqueur. Jimmy arriva second. Alors qu'ils revenaient vers la maison après une promenade dans le domaine de Ridge, le marquis se tourna vers lui.

— Êtes-vous aussi expert en chevaux qu'en tableaux, mon cher Tancombe ?

— Cela ne serait pas pour me déplaire. Mais j'ai rarement eu l'occasion de monter un aussi bel animal que celui-ci.

Tout en parlant, il flatta de la main l'encolure du cheval. Nikola se demanda s'il consentirait à consacrer une partie de l'argent gagné à l'achat de nouveaux chevaux. Les leurs faisaient bien pauvre figure à côté de ceux du marquis ! La plupart du temps, ils ne les utilisaient que pour conduire l'attelage.

« Si seulement nous possédions un aussi bel étalon ! songea-t-elle, avec un brin de dépit. Je pourrais le monter en l'absence de Jimmy. »

Comme s'il avait lu dans ses pensées, le marquis lui dit :

— J'ai l'impression, miss Tancombe, que vous êtes jalouse !

— Naturellement ! Vous possédez tant de belles choses.

— Mais vous avez King's Keep.

— Un bien qui nous coûte fort cher, répliqua-t-elle avec franchise.

Le marquis détecta dans sa voix une note d'amertume. Sans doute avait-elle fait beaucoup de sacrifices pour cette maison ! Il l'observa plus attentivement et s'aperçut soudain qu'elle était très différente des femmes qu'il côtoyait dans la belle société de Londres. Elle se comportait comme si elle était totalement inconsciente de sa propre beauté.

Pourtant, elle était vraiment adorable, dans cet habit noir qui mettait si bien en valeur les reflets d'or et de cuivre de ses cheveux. Et avec quelle élégance elle montait le cheval qu'on lui avait prêté ! Après le galop qu'ils venaient de faire à travers champs, toute autre femme de sa connaissance aurait été préoccupée par sa coiffure, ou par l'apparence de sa toilette. Mais Nikola scrutait fièrement le paysage et contemplait le lac, au-delà du manoir, conservant sans même s'en rendre compte une allure noble et altière. Contrairement aux femmes qu'il invitait habituellement, elle ne cherchait pas à attirer l'attention sur elle. Faire sa conquête était sans doute le dernier de ses soucis, songea-t-il avec une moue de dépit.

Mais alors qu'il considérait son beau visage aux traits purs, il fut soudain frappé par sa ressemblance avec « La Madone des Roses ».

« Si un artiste décidait de peindre son portrait, il choisirait sans doute un jardin pour décor, se dit-il en son for intérieur. Et naturellement, cette jeune femme est vierge. »

Le marquis piqua les flancs de son cheval et le lança au trot, étonné lui-même par les idées étranges qui lui traversaient l'esprit. Toutefois, il était incapable de détacher ses pensées de Nikola. Pourquoi lui avait-elle paru si effrayée, la veille ?

Pourquoi avait-elle si vite quitté son bureau, visiblement sous l'emprise d'une forte émotion ? Et pourquoi enfin avait-elle semblé prier en silence « La Madone des Roses », lorsque son frère avait montré le tableau ?

Déterminé à obtenir une réponse à toutes ces questions, il dirigea sa monture vers le manoir.

5

De retour au château, le marquis se rendit directement dans son bureau, où son secrétaire avait préparé sa correspondance. En raison de son départ imminent, il avait un grand nombre de lettres à envoyer dans la journée. Au bout de quelques minutes, Mr. Gordon entra et le marquis, bien qu'absorbé par son travail lui fit signe d'approcher.

— Dites-moi, Gordon... le nom de Jacqueline de Bourgogne évoque-t-il quelque chose pour vous ? interrogea-t-il, sourcils froncés.

Lorsque sir James Tancombe lui avait montré ce portrait, ce nom lui était venu à l'esprit sans qu'il sache pourquoi. Après coup, cela lui avait semblé fort étrange, car il n'avait jamais vu ce tableau auparavant.

Visiblement pris au dépourvu par la question, Mr. Gordon réfléchit un instant.

— Son portrait a été peint par Mabuse, reprit le marquis après une minute de silence.

Soudain, le visage du secrétaire s'éclaira.

— Je pense que je me souviens, my lord. Ce portrait est mentionné dans une lettre adressée à feu M. le marquis de Ridgmont.

— Allez la chercher ! ordonna le marquis.

Après la mort de son père, il avait soigneusement classé toute la correspondance que celui-ci avait échangée avec d'autres collectionneurs. De cette façon, il savait exactement quand et comment chaque tableau du manoir avait été acheté. Il comprenait à présent pourquoi le nom de Jacqueline de Bourgogne ne lui était pas inconnu. Son père avait peut-être reçu certains renseignements au sujet de ce portrait.

Pensif, il continua sa correspondance. Au bout d'un laps de temps assez court, Mr. Gordon revint, portant un large classeur sous le bras. Il le posa devant le marquis.

— Dans ce classeur, Monsieur le marquis trouvera toutes les lettres concernant les artistes dont les noms commencent par « L » et « M ».

— Merci.

Le marquis saisit le classeur et en tourna fébrilement les pages. Enfin, il découvrit une lettre adressée à son père par lord Hartley.

« *Cher ami* », écrivait-il.

« *La dernière fois que nous nous sommes rencontrés au Club, vous m'avez dit désirer acquérir un Mabuse pour votre collection. Je vous ai parlé du portrait de Jacqueline de Bourgogne que je possède. Je l'ai trouvé chez un marchand hollandais, dont je vous envoie le nom et l'adresse.*

« *C'est un homme honnête et en qui vous pouvez avoir toute confiance. En fait, c'est grâce à lui que j'ai pu acquérir le fameux Lochner auquel je tiens tant : "La Madone des Roses". C'est certainement un des plus beaux tableaux que j'aie jamais vu.*

« *J'aurai grand plaisir à vous montrer ces toiles, si vous me faites l'honneur de me rendre visite chez moi.* »

Éberlué, le marquis contempla longuement la lettre de lord Hartley. Puis, au bas du feuillet, il découvrit quelques mots griffonnés par son père, d'une écriture presque illisible. Se tournant vers la lumière du jour, il lut avec stupéfaction la phrase suivante :

« Après la mort de Hartley, ai contacté sa veuve. Elle refuse de vendre quoi que ce soit. »

Lentement, le marquis déposa la missive sur son bureau. Puis, il se tourna vers Mr. Gordon.

— Dites à sir James Tancombe et à sa sœur que je désire les voir, ordonna-t-il d'un ton sec.

Le secrétaire sortit précipitamment, tandis que le marquis lisait et relisait la lettre de lord Hartley. Au bout d'un court instant, Jimmy et Nikola entrèrent dans le bureau. Dès qu'ils apparurent, le marquis remarqua dans les yeux de Nikola la même expression de frayeur qu'il y avait décelée la veille.

— Asseyez-vous, je vous en prie. Je désire m'entretenir avec vous, leur annonça-t-il d'un ton neutre.

Jimmy prit une chaise près du bureau et Nikola s'installa face aux trois tableaux qui étaient posés sur le sofa. « La Madone des Roses » se trouvait au centre et lorsqu'elle posa les yeux sur la toile, elle se sentit parcourue d'un frisson glacé. Elle comprit que la Madone la mettait en garde.

— Lorsque je me suis éveillé ce matin, déclara doucement le marquis, je me suis aperçu qu'une question me tourmentait depuis hier soir. Pour quelle raison avais-je immédiatement reconnu dans cette toile de Mabuse le portrait de Jacqueline de Bourgogne ?

Jimmy écoutait poliment, les yeux fixés sur le marquis. Mais Nikola regardait le visage de la Vierge et priait en silence.

— Par curiosité, poursuivit le marquis, j'ai consulté la correspondance de mon père. J'y ai trouvé une lettre, dans laquelle lord Hartley fait mention de ce tableau.

Jimmy se figea. Nikola eut l'impression que son cœur s'arrêtait de battre. Abasourdie, elle se tourna lentement vers le marquis.

— Voici cette lettre, reprit-il. Je vais vous la lire.

Un silence profond s'abattit dans la pièce, puis la voix grave du marquis s'éleva, détachant soigneusement chaque mot de la missive. Les mains jointes, le visage tendu, Nikola se tourna une fois de plus vers « La Madone des Roses ».

« Aidez-vous... aidez-nous ! » supplia-t-elle intérieurement.

Le marquis termina sa terrible lecture. Il marqua une pause, puis lut également les quelques mots que son père avait rajoutés au bas de la lettre. Ensuite, il posa sur Jimmy un regard sévère.

— Sans doute, sir James, me direz-vous que lady Hartley a changé d'avis et a accepté de vous vendre ces deux tableaux, ainsi que le Van Leyden ?

Il y eut quelques secondes de silence. Alors, devinant que son frère était prêt à s'enfoncer dans un nouveau mensonge, Nikola se leva et prit la parole.

— Je vous en prie..., murmura-t-elle, tournant vers le marquis un visage d'une pâleur mortelle. Essayez de comprendre... ces tableaux étaient relégués dans une chambre fermée et poussiéreuse. Notre tante n'y prêtait aucune attention.

Nikola parla si bas qu'on entendit à peine ses paroles.

— Aussi... vous vous êtes arrogé le droit de les emporter ! s'exclama le marquis, d'une voix vibrante d'indignation.

— Lady Hartley est une Tancombe, répliqua Nikola. Jimmy avait besoin de cet argent, afin de restaurer la maison qui appartient aux Tancombe depuis quatre cents ans.

— Quoi qu'il en soit, votre frère a agi malhonnêtement en essayant de vendre ce qui ne lui appartenait pas. D'autre part, je suppose que lady Hartley ne lui aurait jamais cédé ces tableaux, s'il les lui avait demandés !

— Lady Hartley a toujours refusé de nous aider, bien qu'elle soit très riche, répondit Nikola d'une voix sourde. Je... vous en prie... essayez de comprendre.

— Je pense que c'est à votre frère d'expliquer sa conduite.

Le ton du marquis était si dur, que Nikola recula involontairement. Sans ajouter un mot de plus, elle reprit sa prière silencieuse. Sa crainte la plus vive était que le marquis dénonce publiquement Jimmy.

— Eh bien ? Quelle explication pouvez-vous me donner ? interrogea-t-il en se tournant vers le jeune homme.

— Ma sœur vous a dit la vérité. Je n'avais qu'un seul but : redonner à King's Keep sa grandeur passée. Il fallait que je me procure de l'argent, sans quoi notre demeure serait tombée en ruine.

Jimmy fixa sur son interlocuteur un regard plein d'arrogance. Le sort de King's Keep était aussi important pour lui que sa propre vie. Comprenant ses sentiments, le marquis l'observa un long moment avant de répondre.

— Plusieurs possibilités s'offrent à moi, à présent.

Comme Jimmy gardait le silence, il continua :

— Je pourrais vous rendre les trois tableaux et vous demander de les restituer immédiatement à lady Hartley.

— Si vous faites cela, les toiles pourriront dans

l'une des pièces humides de son manoir. Personne n'en profitera, excepté les souris !

Le regard du marquis se rétrécit. Bien qu'excédé par cette aventure, il ne put s'empêcher de penser que Jimmy se défendait fort bien. Il venait d'utiliser le seul argument susceptible de le faire fléchir.

— Il existe une deuxième solution. J'accepte les tableaux. Mais dans ce cas, j'exigerai que vous fassiez amende honorable, pour avoir tenté de me tromper.

Nikola n'osa pas relever la tête, mais il lui sembla voir Jimmy, sur la défensive, se carrer dans son fauteuil.

— Qu'entendez-vous par là ? demanda-t-il d'une voix altérée.

— J'ai pu constater que vos connaissances en matière de peinture étaient considérables. Vous possédez l'instinct du collectionneur, qui lui fait reconnaître une véritable œuvre d'art au premier coup d'œil...

Le marquis marqua une pause et observa Jimmy. Celui-ci soutint son regard sans broncher.

— Aussi, en échange de mon silence, je vous demanderai de me rendre service.

— De quelle façon ?

Nikola écarquilla les yeux, étonnée par la proposition du marquis et anxieuse de la réponse de Jimmy. Si le marquis tentait de l'humilier de quelque façon que ce soit, son frère refuserait cet arrangement. Dans ce cas, le marquis révélerait certainement à lady Hartley ce qui s'était passé. Leurs parents, leurs amis seraient informés de toute l'affaire. Jimmy serait mis en quarantaine, rejeté par toute leur famille et les ragots iraient bon train à son sujet. Tôt ou tard, toute la bonne société de Londres et même d'Angleterre connaîtrait cette scandaleuse histoire. Le nom des Tancombe serait souillé à jamais.

Il ne fallait pas qu'une chose pareille se produise. Jamais... jamais !

La voix du marquis s'éleva de nouveau et Nikola sursauta, en proie à une vive émotion.

— Voilà déjà quelque temps, que j'ai l'intention de me rendre à Lima, qui se trouve au Pérou, comme vous le savez.

Le marquis s'interrompit, prenant le temps de constater l'effet de ses paroles sur les deux jeunes gens. Interloqués, Jimmy et Nikola gardèrent le silence. Quel rapport ce voyage pouvait-il avoir avec la situation présente ?

— De Lima, je voudrais voyager jusqu'à Cuzco. Cette ville se situe à des centaines de kilomètres de là, dans les montagnes. Vous vous rappelez peut-être que les Espagnols ont détruit dans ce pays 363 temples incas, pour reconstruire à leur place 363 églises ?

De plus en plus stupéfaite, Nikola se tourna vers son frère, puis vers le marquis, attendant qu'il poursuive son récit.

— Au XVIIe siècle, les Jésuites comptaient parmi eux de nombreux artistes, notamment des peintres. A l'heure actuelle, leurs œuvres se trouvent encore dans les églises qu'ils ont construites et certaines sont à vendre. On m'a notamment parlé des tableaux de Basilio Santacruz, qui sont paraît-il fort beaux.

Sans même s'en rendre compte, Nikola se pencha imperceptiblement vers le bureau du marquis, comme si elle craignait de perdre une de ses paroles.

— J'avais l'intention de me rendre moi-même à Cuzco, mais je ne peux m'absenter aussi longtemps.

D'autres affaires me retiennent en Europe. Je pense, mon cher Tancombe, que vous pourriez fort bien y aller à ma place. Un de mes amis vous accompagnera. C'est également un connaisseur en matière d'œuvres d'art et, ce qui ne gâte rien, il marchande mieux que personne !

Jimmy retint sa respiration, abasourdi par la tournure que prenaient les événements.

— Cela signifie que... vous voudriez que j'aille acheter ces tableaux pour vous ?

— Uniquement si vous les trouvez dignes d'intérêt, bien entendu. Il vous faudra quitter momentanément votre cher King's Keep. Mais ce voyage vous permettra de découvrir de nouvelles contrées et d'approfondir vos connaissances dans le domaine de la peinture. Le XVIIe siècle est une époque passionnante. Que pensez-vous de ma proposition ?

Jimmy demeura un instant sans voix.

— Je... je ne peux que vous remercier pour votre magnanimité, bredouilla-t-il enfin.

Mais le marquis l'interrompit, comme pour éviter ses remerciements.

— A votre retour, nous reparlerons du paiement de ces trois tableaux. En attendant, ils demeureront ici, où ils seront en parfaite sécurité.

Éperdue de reconnaissance, Nikola sentit ses yeux se remplir de larmes. « La Madone des Roses » avait exaucé ses prières. Mais à cet instant, le marquis se tourna vers elle, comme s'il se rappelait enfin son existence.

— Ce n'est pas tout, déclara-t-il gravement. Votre sœur s'est rendue complice de vos actes et elle doit également payer pour cela.

Nikola posa sur le marquis un regard inquiet. Qu'attendait-il d'elle ?

— Je pars en Grèce dès demain matin. Ce voyage

me conduira jusqu'en mer Égée, où je compte faire une croisière sur mon yacht. Je désire que vous m'accompagniez.

Pétrifiée, Nikola douta un instant d'avoir bien entendu. Mais sans lui laisser le temps de poser la moindre question, Jimmy intervint brusquement.

— Pourriez-vous me dire, my lord, ce que vous entendez par là ?

Les deux hommes s'affrontèrent du regard en silence.

— J'entreprends un long voyage, répliqua enfin le marquis. J'aimerais simplement avoir une compagnie agréable.

— Et vous pensez que j'autoriserai ma sœur à partir sans chaperon ?

— Je ne tiens pas à emmener plusieurs personnes avec moi. De toute façon, nul en Angleterre ne connaîtra les circonstances de ce voyage. Vous pouvez donc être tranquille. La réputation de votre sœur n'en souffrira pas.

— Mais...

D'un geste, le marquis l'interrompit.

— Votre sœur sera traitée avec tous les égards dus...

Se tournant vers la jeune femme, il aperçut le tableau qui était posé derrière elle, sur le sofa et ne finit pas sa phrase.

— Elle sera traitée comme si elle était « La Madone des Roses » en personne, murmura-t-il dans un souffle.

Jimmy voulut protester. Il n'était pas question que la réputation de Nikola sorte ternie de cet arrangement. Mais comme malgré lui, il baissa les yeux.

— Très bien, my lord. Je vous fais confiance, concéda-t-il à contrecœur.

— J'en suis honoré et vous garantis que vous n'aurez pas à vous en repentir.

Perplexe, Nikola les observait sans comprendre.

— Mais... si vous désirez que je vous accompagne, je ferai comme vous l'ordonnez, my lord. Puisque James sera au loin... je serai enchantée de faire un tel voyage.

Jimmy pinça les lèvres, mais un regard du marquis lui enjoignit de se taire. Il ne pouvait qu'accepter sa proposition.

— Très bien, my lord. Quand désirez-vous me voir prendre la route ?

— Je partirai moi-même demain matin, avec votre sœur. Vous nous accompagnerez jusqu'à Londres. En ce qui concerne mes invités, nous prétendrons tous deux avoir des rendez-vous qui ne peuvent être remis.

— Je comprends.

— Je l'espère. Que ceci soit bien clair, sir James : ni vous ni votre sœur ne devez révéler à qui que ce soit la destination ou les circonstances de ce voyage.

Le marquis s'interrompit et fixa sur Jimmy son regard perçant.

— Si vous ne gardez pas le silence comme je vous le recommande, alors, je ferai certaines révélations en ce qui vous concerne.

La menace était si évidente, que Jimmy sentit ses joues s'empourprer de colère. Nikola intervint précipitamment, afin de le calmer.

— Je vous donne ma parole, my lord, que nous ne ferons rien qui puisse vous déplaire. Merci..., ajouta-t-elle d'une voix tremblante. Merci de ne pas dénoncer Jimmy.

Du coin de l'œil, elle vit son frère se renfrogner. Pourquoi était-il si peu reconnaissant envers le marquis ? se demanda-t-elle, étonnée. Elle ne pouvait comprendre pourquoi ce voyage en Grèce le bouleversait autant. Bien sûr, elle n'avait pas de chaperon pour veiller sur sa réputation et cela bousculait un peu les convenances. Mais étant donné les circonstances, elle serait bien surprise si le marquis la traitait en invitée. Sans doute la considérerait-il plutôt comme une gouvernante, ou une dame de compagnie, à qui il pourrait donner des ordres. Elle n'aurait pas d'autre choix que d'obéir.

— Puisque cette question est réglée, vous êtes libre de passer la journée comme bon vous semble, dit le marquis. Mais rappelez-vous : pas un mot au sujet de cette discussion. Nous dirons aux autres que nous sommes obligés de partir très tôt demain matin, car nous avons un rendez-vous à Londres. N'est-ce pas, sir James ?

Jimmy hocha la tête d'un air entendu.

— N'ayez crainte, my lord, nous ne commettrons pas d'impair. Et je ferai mon possible pour acheter à Cuzco les plus belles toiles ! Elles seront du meilleur effet dans votre nouvelle galerie.

Nikola décela dans sa voix une note d'excitation. De toute évidence, la perspective d'entreprendre un aussi long voyage l'emplissait déjà d'enthousiasme. Rêveuse, elle songea qu'elle-même allait partir en croisière pour la première fois de sa vie. Quelle chance ! Elle se serait sentie si anxieuse, à l'idée de devoir rester seule à King's Keep en attendant le retour de son frère !

Pleine d'entrain, elle remonta à sa chambre afin de se changer. C'est seulement en ouvrant son armoire, qu'elle se rappela qu'elle n'avait emmené que très peu de vêtements pour ce court séjour à Ridge. Que faire ? Il ne lui restait plus qu'à envoyer un valet en chercher d'autres à King's Keep. Traversant rapidement le boudoir, elle frappa à la porte de son frère. Celui-ci s'était déjà habillé pour le déjeuner.

— Tu sais, Nikola, s'exclama-t-il avant même qu'elle ait pu placer un mot, ce voyage à Cuzco m'enchante ! Papa m'a souvent parlé des tableaux qui se trouvent dans ces églises. Un de ses amis les avait vus. Il paraît qu'ils sont en assez mauvais état. Et maintenant que les Jésuites sont partis, personne ne s'en occupe. Pourtant, ils représentent une fortune ! Ce doit être une expérience grisante de retrouver de pareils chefs-d'œuvre pour les sauver de l'oubli et de la destruction !

— Ce voyage sera sûrement une merveilleuse expérience pour toi. Je suis certaine que c'est grâce à mes prières, que le marquis s'est montré si indulgent.

— Alors, continue à prier, petite sœur ! J'espère qu'à mon retour, il me donnera les dix mille livres qu'il m'a promises.

Jimmy se campa devant le miroir pour réajuster le nœud de sa cravate.

— Je présume que Butters et Bessie sauront s'occuper de la maison en notre absence, reprit-il au bout de quelques secondes, le front soucieux.

— Naturellement. Quoi qu'il en soit, je serai bientôt de retour. Je suppose que le marquis désire être à Londres pour le Royal Ascot.

Le visage de James s'éclaira.

— Bien sûr ! Il espère que son cheval remportera la coupe.

— Tu devrais quand même envoyer une lettre à Butters. Ainsi qu'un peu d'argent. Penses-tu que l'un des valets pourrait me ramener mes robes ?

Jimmy se mit à rire.

— Le marquis a beau être prévoyant, il n'a pas pensé à ta garde-robe ! Il te faut quelques toilettes, naturellement.

— Tant que je serai seule sur le yacht avec le marquis, cela n'aura pas tellement d'importance. Mais s'il reçoit des amis, ceux-ci seront peut-être étonnés de me voir en haillons.

— Tes affaires sont-elles donc en si mauvais état ? interrogea Jimmy d'un air embarrassé.

— Encore pire que cela !

— Eh bien... tu verras bien si le marquis est gêné, rétorqua Jimmy d'un ton léger. Je vais lui demander s'il peut envoyer un de ses valets à King's Keep. Pendant ce temps, écris à Bessie et donne-lui la liste de ce que tu souhaites emporter avec toi.

— Mais... si je prends trop de vêtements, le marquis sera obligé d'envoyer une voiture.

— Et pourquoi pas ? Ce n'est pas ce qui manque, les écuries sont pleines à craquer !

Après un dernier coup d'œil au miroir, Jimmy se dirigea vers la porte.

— Laisse-moi faire, Nikola, je m'occupe de tout. Et je te promets d'envoyer suffisamment d'argent à Butters pour tout un mois.

Pensive, Nikola retourna dans sa chambre. Comment ferait-elle si, à son retour à King's Keep, leur compte en banque était de nouveau vide ? Puis elle se rappela que Jimmy y avait déposé une somme importante, obtenue pour la vente d'autres tableaux.

« Pourvu que le marquis n'apprenne jamais cela ! » se dit-elle, avec une moue angoissée.

Pendant ce temps, le marquis réfléchissait. Ce n'est qu'après avoir décidé d'envoyer Jimmy à Cuzco, que le problème posé par son propre voyage lui était revenu en mémoire. Dès le début il avait hésité à emmener lady Sarah avec lui, certain qu'elle ne saurait faire preuve de la discrétion nécessaire.

Ce n'est que le soir précédent qu'il avait pris sa décision. Il n'était plus question qu'elle l'accompagne en croisière ! Avec un brin d'irritation, il repensa à ce qui s'était passé la veille.

Assez tôt dans la soirée, ses invités s'étaient retirés dans leurs chambres. Le marquis avait alors regagné son bureau, afin d'y admirer encore une fois ses nouvelles acquisitions. Il plaça les trois tableaux sur le sofa. « La Madone des Roses » avait de loin sa préférence. C'était un des plus beaux tableaux qu'il ait jamais eu sous les yeux.

Une coïncidence singulière le frappa alors. Chaque fois qu'il observait le doux visage, si délicatement tracé par le pinceau de l'artiste, celui de Nikola s'imposait à son esprit. Il l'imaginait, entourée de ces angelots, sa chevelure éclairée par le même halo de lumière. Une douce émotion s'empara de lui.

Finalement, il décida de retourner dans sa chambre. Lady Sarah espérait probablement sa visite. Mais il n'avait pas la moindre envie de passer la nuit avec elle. C'était pourtant ce qu'elle désirait. Lorsqu'il lui avait souhaité une bonne nuit, elle avait longuement serré sa main et le regard langoureux qu'elle lui avait lancé était une invitation évidente à la rejoindre.

Le marquis avait suffisamment d'expérience pour deviner ce que cela signifiait. C'était le prélude à une nouvelle liaison, ardente, passionnée, comme toutes celles qui l'avaient précédée et qui pourtant étaient restées sans lendemain.

« J'y repenserai demain matin », songea-t-il en se déshabillant d'un air las.

Le valet emporta son costume de soirée et il se glissa dans le lit. Mais il ne souffla pas la bougie, car il avait l'habitude de lire quelques lignes avant de s'endormir. Toutefois, il n'ouvrit pas tout de suite l'épais volume sur les antiquités orientales qui était posé près de lui. Les yeux dans le vague, il repensa aux trois tableaux qu'il venait d'acquérir. Quelle place leur donnerait-il dans la nouvelle galerie ? « La Madone des Roses » méritait un emplacement de choix. Peut-être la ferait-il accrocher dans sa chambre.

Il en était là de ses réflexions lorsque, à son grand étonnement, il vit la porte de la chambre s'ouvrir doucement. Lady Sarah entra.

Revêtue d'un déshabillé de soie rose qui ne cachait rien de ses formes parfaites, la jeune femme était absolument ravissante. Sa longue chevelure brune retombait souplement sur ses épaules et ses superbes yeux verts brillaient d'un éclat particulier. Nul n'aurait pu résister à une beauté si piquante et le marquis songea qu'il avait rarement vu une femme aussi désirable.

Mais elle offrait un tel contraste avec « La Madone des Roses », qu'il demeura totalement insensible à son charme. Loin d'être flatté par cette visite inopinée, il sentit une vague de mécontentement l'envahir. En venant le rejoindre dans sa chambre, lady Sarah brisait toutes les règles du jeu.

— Auriez-vous oublié de venir me dire bonsoir ? murmura-t-elle de sa voix la plus enjôleuse.

— Je craignais que vous ne soyez trop fatiguée.

— Fatiguée ? Alors que je vous attendais avec impatience ?

Lady Sarah s'assit sur le lit et croisa les bras autour du cou du marquis.

— Pourquoi perdre davantage de temps ? murmura-t-elle en posant ses lèvres sur les siennes.

Lady Sarah ne partit que beaucoup plus tard, après un dernier baiser passionné.

Pour le marquis, une chose était certaine, à présent : même si le Premier ministre le lui demandait, il ne choisirait pas lady Sarah pour l'accompagner dans cette mission dangereuse. Cette décision n'entraînait pour lui qu'une difficulté... il serait obligé de trouver une compagne à Athènes. En fait, il avait de nombreux amis en Grèce. Peut-être aurait-il l'occasion de rencontrer une jolie personne, qui serait trop heureuse de partir avec lui... à condition qu'elle n'ait pas de mari, ni de chaperon ! songea-t-il avec irritation.

Si seulement il avait eu quelques jours devant lui pour prendre ses dispositions ? Mais lord Beaconsfield exigeait que ses ordres soient exécutés au plus vite.

— Je finirai bien par trouver une solution, maugréa le marquis à mi-voix.

Finalement, l'idée d'emmener Nikola s'était imposée le lendemain, pendant sa discussion avec les jeunes gens. Réflexion faite, c'était un trait de génie ! songea le marquis avec un sourire de satisfaction. La jeune fille était l'innocence même, complètement ignorante des cercles londoniens et des médisances qui s'y colportaient. Elle sortait peu et n'était pas susceptible de le trahir par quelque révélation maladroite.

Tout se mettait en place, comme les pièces d'un puzzle. A croire que le destin avait décidé de lui être favorable ! Voilà déjà plus d'un an qu'il projetait de se rendre à Cuzco, car on lui avait parlé de ces tableaux qui pourrissaient dans les églises en ruine, dans l'indifférence générale. Mais il n'avait jamais eu la liberté d'entreprendre un si long voyage. Le mois dernier, il avait donc décidé d'y envoyer une de ses connaissances, un homme qui avait déjà acheté plusieurs tableaux pour lui à Vienne, et qui était enchanté à l'idée de se rendre à Lima.

Mais le marquis était persuadé qu'il ne possédait pas le flair extraordinaire de James Tancombe pour reconnaître une œuvre intéressante. Les deux hommes réunis formeraient une excellente équipe. Et il espérait bien qu'à l'issue de cette expédition, sa collection se trouverait enrichie de quelques pièces maîtresses.

Le marquis était d'excellente humeur lorsque James pénétra dans son bureau.

— Que puis-je pour vous, Tancombe ?

— Je désire envoyer un valet à King's Keep, afin qu'il ramène à Nikola les effets dont elle aura besoin pour ce voyage. D'autre part, il faut que je donne des instructions à mon personnel. Je tiens à ce que la maison soit tenue convenablement en mon absence.

Le marquis approuva. Un de ses valets se rendrait à King's Keep après le déjeuner, avec le message de Jimmy.

— Si quelque difficulté se présentait en votre absence, dit-il, il suffira que votre sœur me le fasse savoir. Je chargerai mon secrétaire de s'en occuper.

— Votre amabilité me touche. Je pense que votre voyage en Grèce sera de courte durée ?

— Je l'espère... En fait, deux de mes meilleurs chevaux doivent disputer une course à Newmarket samedi prochain et j'aurais aimé y assister. Hélas... ce sera sans doute pour une autre fois ! Mais je compte revenir au plus vite.

Les deux hommes se dirigèrent ensemble vers l'un des salons, où les invités s'étaient réunis en attendant que le déjeuner soit servi. Nikola s'y trouvait déjà et elle confia à son frère la note qu'elle avait rédigée à l'intention de Bessie. Jimmy se rendit alors dans le bureau de Mr. Gordon, afin de lui transmettre ce message. Le secrétaire lui assura que ses ordres seraient exécutés au plus vite et que le valet serait de retour le soir-même.

A partir de ce moment, Nikola eut l'impression de vivre un véritable conte de fées. Ils quittèrent Ridge dès huit heures le lendemain matin, alors que lady Cleveland et lady Sarah n'étaient pas encore levées. Seuls lord Cleveland et Willie vinrent leur faire leurs adieux. Le marquis les pria de demeurer à Ridge jusqu'au lundi et exprima ses regrets de devoir partir aussi rapidement.

— Sir James se trouve dans la même situation que moi. Il a un rendez-vous important avec une personne qui doit quitter Londres demain matin. Il faut donc absolument qu'ils se rencontrent aujourd'hui même.

— Je parie qu'il s'agit d'un autre amateur de tableaux ! s'exclama Willie.

Le marquis saisit les rênes en riant. L'attelage se mit en route et Nikola adressa aux deux hommes un petit signe de la main. Au bout de quelques minutes, le château disparut derrière les rangées de peupliers qui bordaient la route.

Le petit groupe de voyageurs prit le train privé du marquis, qui devait les conduire à Londres. Émerveillée par tant de luxe, Nikola contempla bouche bée les profonds fauteuils de velours gris et les épais tapis qui garnissaient le sol. Des valets portant la livrée de Ridge leur servirent un copieux petit déjeuner accompagné de champagne.

Plus tard dans la matinée, on leur proposa du caviar et des canapés. Nikola était si émue, qu'elle se sentait fort peu d'appétit. Par contre, Jimmy profita de bon cœur de l'excellent déjeuner qu'on lui offrait... le dernier peut-être avant de longs mois !

Enfin, ils atteignirent Park Lane, où se trouvait la résidence urbaine du marquis. Le compagnon de voyage de Jimmy les attendait déjà à Ridge House et ils commencèrent à tracer les grandes lignes de leur périple avec Mr. Grey.

Une heure plus tard, Nikola fit ses adieux à Jimmy, car le marquis avait décidé de partir sur le champ pour Tilbury. De là, ils prirent le ferry-boat jusqu'à Ostende. Le marquis avait une cabine à sa disposition, mais la journée étant très ensoleillée, il préféra rester sur le pont et admirer le paysage. Confortablement installée dans une chaise longue, Nikola feuilleta quelques journaux.

A Ostende, les wagons royaux les attendaient.

— Appartiennent-ils vraiment à la reine ? demanda Nikola, ébahie.

— Sa Majesté a eu l'extrême bonté de les mettre à ma disposition.

Comme si elle ne pouvait en croire ses yeux, Nikola observa longuement les compartiments luxueusement aménagés. Le salon était entièrement tendu de soie bleue, à l'exception du plafond qui était gris pâle et sur lequel se détachaient, délicatement brodés en jaune, la rose, le trèfle et le chardon, emblèmes des trois pays compris dans la Grande-Bretagne. De lourds rideaux bleus et blancs protégeaient les fenêtres et un luxueux tapis de soie couvrait le sol. Le mobilier se composait d'un canapé et de deux fauteuils Louis XVI, tapissés de bleu. Çà et là, on avait disposé des petits tabourets également brodés de gris et de bleu.

Les chambres se trouvaient dans un autre compartiment. Celle de Nikola était décorée d'une tapisserie aux motifs japonais. Elle comprenait un vaste cabinet de toilette, entièrement capitonné de cuir rouge sombre et une profonde armoire.

— J'ai l'impression de rêver ! s'exclama Nikola en rejoignant le marquis dans le salon. Quel merveilleux voyage !

— J'ai bien peur que vous ne vous en lassiez très vite, répondit le marquis. La route jusqu'en Grèce vous paraîtra longue.

Nikola eut un sourire malicieux.

— Il m'a semblé apercevoir une énorme malle, qui d'après l'étiquetage ne contenait que des livres !

— Seriez-vous passionnée de lecture ?

— Jusqu'à présent, c'est la seule façon dont j'ai pu voyager. Mais j'ai visité ainsi un grand nombre de pays !

— Vous connaissez donc la Grèce...

— J'aimerais tant voir Athènes ! Pensez-vous que nous pourrons nous y arrêter ?

— Je crains de vous décevoir. Mon yacht nous attendra et je pense que nous devrons embarquer au plus tôt.

Le marquis aperçut une ombre de déception dans les yeux de la jeune fille, mais elle ne dit rien. Une autre femme n'aurait pas hésité à taper du pied pour obtenir satisfaction ! songea-t-il, étonné par tant de docilité. Sans discuter davantage, il s'abrita derrière son journal et se plongea dans sa lecture. Mais au bout de quelques instants, poussé par la curiosité, il jeta un coup d'œil dans la direction de Nikola.

Celle-ci avait quitté son fauteuil et s'était installée sur une chaise, près de la fenêtre. Le visage appuyé dans sa main, elle admirait le paysage, inconsciente du regard du marquis posé sur elle. Elle avait ôté son chapeau et son adorable profil se découpait en contre-jour sur la fenêtre. Le soleil jetait dans sa chevelure des reflets d'or et de feu.

Quelle agréable compagne ! pensa le marquis, avec satisfaction. En voyage, il n'appréciait rien plus que le silence et la tranquillité. Lorsqu'ils atteindraient Athènes, il lui expliquerait quel rôle elle devrait jouer, au cas où des indésirables monteraient à bord du yacht.

Sans doute ne se rendait-elle pas compte qu'aux yeux de tous, elle passerait pour sa maîtresse.

« Il faut que tout le monde pense que je passe quelques jours de vacances avec elle. Tout le monde... et surtout les Russes ! »

Mais il était encore trop tôt pour s'inquiéter à ce propos. Il serait bien temps d'y songer lorsqu'ils auraient embarqué. Avec un profond soupir, le marquis reprit sa lecture.

Le soir venu, Nikola inspecta sa garde-robe. Qu'allait-elle porter pour le dîner ? Bessie lui avait envoyé toutes ses toilettes, mais elle ne possédait qu'une seule robe acceptable... et elle l'avait mise chaque soir à Ridge !

Le marquis allait certainement revêtir son habit de soirée.

« Comment pourrait-il en aller autrement ? songea-t-elle avec un sourire amusé. Nous occupons une suite royale ! »

Et elle allait dormir dans le lit de la reine ! Quel honneur ! La chambre du marquis se trouvait de l'autre côté du couloir. Nikola ignorait que cette proximité aurait fait jaser plus d'une personne mal intentionnée ! Cet accroc aux convenances, de même que l'absence d'un chaperon, ne la choquait pas le moins du monde.

Dawkins, le valet du marquis, dormait dans la voiture voisine. On lui avait attribué le compartiment de la femme de chambre écossaise dont la reine ne se séparait jamais. Dawkins expliqua à Nikola que les autres servantes royales dormaient sur de simples banquettes.

— Heureusement que le marquis n'a pas jugé bon d'emmener ses domestiques ! s'exclama Nikola en riant. Ces lits de fortune doivent être très inconfortables.

— Le marquis n'a pas besoin d'autre domestique que moi. Mais je m'occuperai également de vous, Miss Tancombe. Si vous avez besoin de quoi que ce soit, n'hésitez pas à me le demander.

— Merci, répondit Nikola, touchée par sa gentillesse.

Dawkins avait lui-même défait ses valises et rangé ses robes dans l'armoire d'acajou. Elles étaient toutes élimées, constata-t-elle en les examinant les unes après les autres. Seule sa nouvelle toilette de soie turquoise lui parut correcte.

« Je ne peux pourtant pas la porter chaque soir ! De toute façon, quelle que soit ma robe, le marquis ne la remarquera sans doute même pas. »

Avec un léger haussement d'épaules, elle se décida pour une robe de mousseline blanche qu'elle avait confectionnée elle-même. Afin de l'égayer un peu, elle noua autour de sa taille une large ceinture en satin bleu pâle et considéra le résultat dans son miroir. La tête légèrement penchée sur le côté, elle poussa un soupir de découragement.

En matière d'élégance, elle n'arrivait pas à la cheville de lady Sarah ! Celle-ci portait des modèles luxueux, qui provenaient des maisons de couture les plus en vogue. Pourquoi le marquis ne l'avait-il pas choisie pour l'accompagner en voyage ? Son éclatante beauté avait certainement sa place dans le salon royal !

Nikola essaya tant bien que mal de nouer ses cheveux en un chignon élégant. Mais ses boucles indisciplinées échappaient aux peignes et retombaient effrontément sur son front. Finalement, elle renonça à les coiffer et sans même jeter un dernier coup d'œil à son miroir, elle retourna au salon.

Il lui sembla détecter dans les sévères yeux noirs du marquis une expression de désapprobation. Un valet lui proposa une coupe de champagne et, se rappelant les recommandations de Jimmy, elle l'accepta. Enfin, elle osa lever le visage vers son compagnon de voyage.

Celui-ci était d'une élégance si éblouissante, que l'on aurait pu croire qu'il s'apprêtait à dîner avec la reine en personne. Il portait une chemise d'une blancheur immaculée, sur laquelle se détachait une superbe perle noire. Nikola n'en avait jamais vu de pareille et elle la regarda avec admiration.

— Qu'est-il arrivé à votre robe bleue, qui s'assortissait si bien à mon salon ? interrogea le marquis.

Il y eut quelques secondes de silence, avant que Nikola parvienne à balbutier timidement :

— Comme... c'est la... seule jolie robe que je possède... j'ai pensé qu'il valait mieux la garder pour une occasion... spéciale.

— Ce dîner avec moi n'en est donc pas une ?

Nikola sentit ses joues s'empourprer.

— Oh... si, bien sûr. Mais vous avez déjà vu cette robe hier soir et le soir précédent. Je craignais que... vous ne vous en lassiez.

— Comment le pourrais-je ? C'est une superbe toilette.

Nikola ne put s'empêcher de rire aux éclats.

— Qu'ai-je dit de drôle ? s'enquit-il, surpris par ce brusque accès de gaieté.

— C'est que... il ne s'agit que d'une paire de rideaux !

— J'avoue ne pas comprendre.

— Lorsque vous avez invité mon frère... je ne disposais que d'un jour et demi pour me confectionner une toilette correcte.

— Avez-vous donc fait cette robe vous-même ? questionna le marquis avec un brin d'incrédulité.

— Oui. J'ai utilisé les rideaux d'un lit à baldaquin.

— Je vois que... vous êtes une jeune femme pleine de ressources ! s'exclama-t-il d'un ton narquois.

Une légère rougeur envahit les joues de Nikola.

— J'ai bien peur que... mes toilettes vous fassent honte si certains de vos amis nous rendent visite. Mais s'ils ne viennent que le soir, je pourrai toujours porter ma robe turquoise.

— Que se passera-t-il s'ils préfèrent venir dans la journée ?

— Eh bien... vous pourrez essayer de leur expliquer que vous m'avez trouvée sur une île déserte et que j'ai perdu toutes mes affaires dans le naufrage dont j'ai été victime.

Le marquis éclata de rire.

— Vous avez une imagination débordante, miss Tancombe ! Mais... je suppose que je devrais vous appeler Nikola. C'est un si joli prénom !

— Ma mère l'a choisi, car un grand nombre de Tancombe qui ont vécu à King's Keep s'appelaient ainsi.

— Toute votre vie semble tourner autour de ce manoir. Y êtes-vous donc si attachée ?

— Bien sûr ! Cette maison représente tout ce que

nous possédons. En fait, nous ne vivons que pour elle.

Le marquis eut un rire amusé.

— Vous êtes vraiment très différente de ce que j'imaginais.

— Et... pourrais-je savoir ce que vous imaginiez ? demanda Nikola, intriguée.

— Je ne sais si je peux répondre à cette question, car je craindrais de vous offenser. Par contre, j'aimerais beaucoup découvrir ce que vous êtes en réalité !

— J'ai bien peur que vous ne soyez déçu et que vous ne me renvoyiez à Londres, avant même d'être parvenu à Athènes ! murmura Nikola avec une moue inquiète.

Le marquis sourit. Lorsqu'il regagna sa chambre, ce soir-là, il songea que ce dîner en tête-à-tête avec Nikola avait été fort plaisant. Voilà longtemps qu'il ne s'était pas autant diverti. Nikola avait une façon si amusante de voir les choses ! D'ordinaire, lorsqu'il dînait avec une femme, celle-ci ne cessait de flirter avec lui et de minauder, faisant mille tentatives pour le séduire.

Nikola était différente. A aucun moment, elle n'avait tenté de se montrer piquante et spirituelle. Par contre, elle avait discuté intelligemment de tous les sujets abordés au cours de leur conversation. La façon si personnelle dont elle considérait la vie intriguait le marquis et l'amusait tout à la fois.

Quand il lui avait demandé si lady Hartley s'était vraiment montrée peu généreuse avec eux, elle s'était contentée de sourire et de répondre :

— Lorsque Tante Alice mourra, elle sera sûrement la personne la plus riche du cimetière.

Le marquis s'installa confortablement dans son

lit et poussa un soupir d'aise. Plus le temps passait et plus il se félicitait de ne pas avoir emmené lady Sarah. Avec elle, il n'y aurait eu qu'un seul sujet de conversation possible : l'amour. Or, depuis la nuit qu'il avait passée avec elle, il avait acquis la certitude qu'elle ne correspondait en rien à son idéal féminin. Ni sa beauté brune ni la sensualité qui émanait de toute sa personne n'étaient parvenues à l'émouvoir.

Le samedi matin, elle s'était comportée d'une manière si possessive à son égard, qu'il en avait été mal à l'aise. La lueur malicieuse qu'il avait décelée dans le regard de lord Cleveland, puis dans celui de Willie, l'avait empli d'une sourde fureur. Ses deux amis avaient deviné sans peine ce qui s'était passé durant la nuit.

Le soir, lorsqu'il s'était retiré, son visage était sombre, ses traits tendus. Il ne serait pas dit qu'une femme, si belle soit-elle, ait forcé la porte de sa chambre !

Irrité par cette situation qu'il jugeait ridicule et indigne de lui, il avait donc délaissé ses appartements et s'était réfugié dans une chambre d'amis, dans l'aile opposée du château. En être réduit à une telle extrémité le mettait littéralement hors de lui. Mais comme il était persuadé que cette nuit encore, lady Sarah tenterait de le rejoindre, c'était pour lui le seul moyen d'échapper à cette visite qu'il redoutait.

Le lendemain, il était parti de très bonne heure, avant que la jeune femme ait pu lui adresser le moindre reproche. Et à présent, songea-t-il avec soulagement, chaque minute l'éloignait d'Angleterre et de ses innombrables intrigantes !

Quant à Nikola, elle était si jeune et si innocente, qu'elle ne soupçonnait rien de ce qui se tramait dans le monde ! L'idée de se lancer dans la chasse au mari ne l'avait sûrement jamais effleurée.

C'était la compagne idéale, songea le marquis avec un sourire de satisfaction. Et sans même s'en apercevoir, elle lui permettrait de mener cette mission à bien !

6

— Échec et mat ! J'ai gagné ! s'écria Nikola. J'ai gagné ! J'ai gagné !

Le marquis considéra l'échiquier d'un air morne.

— J'ai dû m'endormir, grommela-t-il.

— Ne soyez donc pas mauvais joueur ! Cela m'a pris du temps, mais j'ai enfin réussi à vous battre.

La jeune fille paraissait si heureuse de cette victoire, qu'une fois de plus, il ne put s'empêcher de rire. En sa compagnie, le voyage en train avait passé deux fois plus vite qu'à l'ordinaire. Et depuis qu'ils avaient quitté Athènes, elle n'avait cessé de le divertir par sa gaieté et sa spontanéité.

Jamais le marquis n'avait trouvé un voyage aussi agréable. Pourtant Nikola était loin de posséder la sophistication de lady Sarah ou de lady Lessington et elle ne maniait pas comme elles le charme et l'ironie. Mais sa jeunesse et son enthousiasme apportaient une bouffée de fraîcheur dans la vie par trop mondaine du marquis.

Nikola lui avait parlé de sa vie à King's Keep et il savait qu'elle passait de longues journées, seule au manoir. Pour tout divertissement, elle avait ses livres et les promenades solitaires et monotones dans les allées du jardin. Ce voyage lui donnait pour la première fois de sa vie l'occasion de découvrir le monde, de voir de ses propres yeux ce dont elle avait seulement entendu parler.

De plus, elle avait trouvé en la personne du marquis un interlocuteur attentif. En effet, celui-ci appréciait sa conversation et ils avaient des discussions animées, au cours desquelles ils abordaient les sujets les plus divers.

Autrefois, Nikola passait de longues heures en compagnie de son père. Celui-ci l'entretenait surtout de ses tableaux et de ses amis, qui possédaient des collections encore plus belles que la sienne. Sa mère était également très proche d'elle. Pendant toutes ces années, elle s'était efforcée de lui transmettre l'éducation que sa propre mère lui avait donnée. C'était une femme douce et patiente, qui entourait Nikola de son affection et de mille attentions.

Mais depuis la mort de ses parents, elle vivait seule avec Jimmy. Celui-ci n'avait qu'une seule préoccupation, un seul sujet de conversation : King's Keep. Isolée dans sa demeure de campagne, la jeune fille trouvait parfois les journées bien longues !

Aussi était-elle enchantée de voyager en compagnie d'un homme aussi brillant et cultivé que le marquis. Comme ils passaient la plus grande partie de leur temps ensemble, il ne pouvait faire autrement que d'échanger ses idées avec elle. Nikola en était ravie, bien qu'elle craignît parfois qu'il ne trouve sa présence bien fade, en comparaison de la société élégante et raffinée qu'il était habitué à fréquenter.

De peur que le marquis ne finisse par se lasser de sa compagnie, elle avait demandé à Dawkins si son maître s'intéressait à un jeu de société. C'est ainsi qu'elle avait découvert qu'il aimait jouer aux échecs. D'après Dawkins, il était même considéré comme l'un des meilleurs joueurs de son Club. Nikola adorait ce jeu, que son père lui avait enseigné lorsqu'elle n'était encore qu'une enfant.

Ils avaient passé de longues soirées d'hiver, installés tous les deux dans le confortable salon de King's Keep, à réfléchir devant l'échiquier, tandis que la mère de Nikola brodait à côté d'eux. Très jeune, elle avait ainsi appris à maîtriser toutes les règles de ce jeu, ainsi que celles du jacquet, que sir Arthur aimait à pratiquer de temps à autre.

En valet prévoyant, Dawkins avait pris soin de glisser dans les bagages de son maître un jeu d'échecs et un jeu de jacquet.

— Quelle chance, que vous y ayez pensé ! s'exclama Nikola.

Dawkins s'était contenté de sourire finement.

— Je connais bien M. le marquis, Miss Nikola ! Et je sais qu'il a besoin de distractions.

Ces paroles suscitèrent l'inquiétude de Nikola. Sa présence était sans doute loin de distraire le marquis ! S'il la trouvait trop ennuyeuse, il risquait fort de la renvoyer à Londres au plus tôt... et par un train ordinaire. Cette perspective ne l'enchantait guère.

La jeune fille ne soupçonnait pas à quel point le marquis, au contraire, appréciait de l'avoir auprès de lui. Cependant, il avait hâte de terminer cette mission et de retourner en Angleterre. Par conséquent, il renonça à séjourner à Athènes ou à contacter ses nombreux amis qui résidaient dans cette ville. Lorsque le train arriva à destination, il décida de se rendre immédiatement sur le port où son yacht, le *Sea Horse*, était amarré.

Ce bateau avait déjà rendu de nombreux services

au marquis, lors de diverses missions secrètes accomplies au service de Sa Majesté. Plus d'une fois, dans des circonstances difficiles, il n'avait dû son salut qu'à la rapidité du navire et à l'extraordinaire habileté de l'équipage. Aussi avait-il pris la précaution de le faire équiper de moteurs puissants, qui lui permettaient de naviguer plus vite qu'un yacht ordinaire.

Naturellement, Nikola ignorait tout cela. Mais lorsqu'elle mit le pied sur le pont, elle fut immédiatement impressionnée par les dimensions du bâtiment. Quelle splendeur ! songea-t-elle, stupéfaite. Par la suite, Dawkins lui apprit que les membres de l'équipage avaient été soigneusement sélectionnés par le marquis. Il avait choisi les meilleurs marins qu'il ait pu trouver en Angleterre et ils lui étaient entièrement dévoués. Quant à l'agencement et au mobilier des cabines, tout était si somptueux que Nikola ne pouvait en croire ses yeux.

Le marquis avait même engagé un cuisinier français. La jeune fille se demanda avec un brin d'amusement si les mets qu'on leur servirait seraient dignes des dieux de l'Olympe !

Toutefois, elle ne pouvait comprendre pourquoi le marquis était si pressé d'embarquer, alors qu'ils se trouvaient dans un des plus beaux sites du monde. Quel dommage d'être venus de si loin et de ne même pas voir l'Acropole ! Son compagnon remarqua sa déconvenue. Mais le service de la reine passait avant tout ! Il ne pouvait se permettre de flâner comme un vulgaire touriste et de perdre ainsi un temps précieux dans l'accomplissement de sa mission. Ne pouvant avouer tout cela à Nikola, il évita de lui donner des explications qui auraient eu pour seul effet d'éveiller sa curiosité.

A peine avaient-ils embarqué qu'il était allé voir

le capitaine et lui avait demandé de mettre au plus vite le cap sur Constantinople. Leur séjour à Athènes n'avait duré que quelques minutes. Le marquis avait toutefois profité de ce bref laps de temps pour envoyer Dawkins lui acheter le plus grand nombre possible de journaux, afin de se tenir au courant de la situation dans cette partie du monde. Un quart d'heure plus tard Dawkins était revenu, chargé de toutes sortes de publications, dans plusieurs langues différentes. Certains journaux étaient vieux de quelques jours, mais du moins informaient-ils le marquis de l'évolution de la guerre entre la Russie et la Turquie.

C'est ainsi qu'il apprit que les Russes se rapprochaient de jour en jour de Constantinople. L'intervention de l'Angleterre dans cette affaire risquait d'être beaucoup trop tardive ! Pour mener sa mission à bien, il était capital qu'il découvre rapidement les véritables intentions des Russes et leur position exacte en Turquie.

Le marquis surveillait toutes ses paroles devant Nikola, craignant qu'elle ne lui pose des questions embarrassantes sur le but de ce voyage. En effet, elle aurait pu trouver étrange qu'il ait quitté l'Angleterre si précipitamment et qu'il désire visiter Constantinople à un moment si peu opportun. Cependant, Nikola était anglaise et les citoyens britanniques étaient totalement ignorants des événements qui avaient lieu au Moyen-Orient. Du moins, c'était ce que le marquis supposait. C'est pourquoi il fut extrêmement surpris, lorsqu'un matin au petit déjeuner, il entendit sa jeune compagne déclarer le plus calmement du monde :

— L'émissaire du tsar, le comte Ignatiev, a proposé un nouveau traité à la Turquie. Il suggère d'étendre la Bulgarie de la mer Noire jusqu'à la mer Égée.

Interdit, le marquis leva la tête de son journal. Avait-il bien entendu ?

— Qui vous a dit cela ? demanda-t-il sèchement.

— Je l'ai lu dans l'un de vos journaux. Il paraît que tous les Balkans sont d'ores et déjà sous le contrôle de la Russie.

— Montrez-moi ce journal.

Nikola chercha dans la pile de revues qui s'entassaient sur la table du salon et tendit au marquis un des quotidiens achetés par Dawkins.

— Mais..., s'exclama le marquis, ébahi. Ce journal est écrit en grec ! Voudriez-vous me faire croire que vous parlez le grec ?

— Assez mal, avoua Nikola. Papa trouvait mon accent tout à fait déplorable. Par contre, je le lis avec une grande facilité.

— Vous êtes étonnante ! répliqua froidement le marquis.

Saisissant le journal, il lut attentivement l'article que Nikola lui désignait. Il en ressortait que les Grecs étaient très inquiets de savoir la Russie à leur porte et toute-puissante dans des pays limitrophes. Toutefois, il pensa que ce serait une erreur de sa part de discuter politique avec la jeune fille. Il jeta donc le journal sur un fauteuil et invita Nikola à faire une partie de jacquet avec lui.

Depuis qu'ils étaient en Méditerranée, le soleil brillait et la température était de plus en plus élevée. Nikola avait revêtu une des robes légères que Bessie lui avait envoyées. Le marquis remarqua que l'étoffe en était bon marché et élimée par endroits.

Le soir même, alors qu'il se préparait pour le dîner, Dawkins lui dit :

— Vous n'avez jamais eu une aussi charmante invitée que Miss Nikola, my lord !

Le marquis s'abstenant de tout commentaire, Dawkins poursuivit :

— C'est un crime de voir une aussi jolie jeune femme si mal vêtue. Ses vêtements sont bons à jeter, même une mendiante n'en voudrait pas !

— Oui, j'ai remarqué cela, répliqua le marquis sans se retourner.

Il sentit le regard désapprobateur de Dawkins fixé sur lui. De toute évidence, son valet trouvait étrange qu'il ne remédie pas à cet état de choses. Mais Nikola lui paraissait si différente des autres femmes ! D'instinct, il savait que s'il lui offrait d'acheter de nouvelles toilettes, elle refuserait. D'ailleurs, elle ne semblait pas souffrir le moins du monde de son manque d'élégance. Sa mère avait dû lui inculquer des notions de moralité très strictes et elle était loin de soupçonner les pratiques dépravées de la haute société londonienne !

Un jour, en parlant de lady Lessington, dont Nikola avait vu la photo dans un magazine, il avait dit avec un brin de cynisme :

— Cette femme brille comme un diamant. C'est d'ailleurs une pierre pour laquelle elle éprouve une passion hors du commun.

— Lord Lessington doit être bien riche, avait naïvement rétorqué Nikola.

Le marquis pensa au collier excessivement coûteux qu'il avait offert à lady Lessington quelques semaines auparavant. Comment Nikola réagirait-elle s'il lui achetait des bijoux ? se demanda-t-il, perplexe. Sans doute serait-elle déconcertée... et même choquée. Dans son innocence, elle ne pouvait imaginer qu'une dame accepte autre chose qu'un flacon de parfum... ou peut-être un éventail.

Le soir précédent, la température était si douce, qu'il avait fait quelques pas sur le pont après dîner.

Le ciel d'un bleu profond était criblé de millions d'étoiles et il était resté là quelques minutes, à contempler le paysage grandiose qui s'offrait à ses regards.

A part le bleu turquoise de sa robe, quelle couleur seyait le mieux à Nikola ? s'était-il demandé, rêveur. Le bleu du ciel était assorti à ses yeux, le rose fuchsia à ses joues satinées, le jaune d'or à sa splendide chevelure... Quel plaisir ce serait, de choisir quelques jolies toilettes pour elle ! Après tout, il l'avait déjà fait pour d'innombrables ballerines et même pour certaines de ses maîtresses officielles.

Nikola était très belle... mais elle n'en était même pas consciente ! Sa beauté était si particulière, si unique... Le marquis était certain que la plupart des hommes ne la remarquaient pas.

De retour dans sa cabine spacieuse et confortablement meublée, le marquis pensait toujours à Nikola. Cette astucieuse petite créature serait bien capable de transformer son couvre-lit de satin en une somptueuse robe de soirée ! songea-t-il avec un sourire amusé. L'idéal serait de l'emmener à Paris pour lui acheter toutes sortes de vêtements, qui mettraient enfin sa beauté en valeur.

Avec un profond soupir, le marquis s'allongea sur son lit. Pour l'instant, il avait bien mieux à faire ! Une rude tâche l'attendait. Nikola n'était qu'une compagne de voyage occasionnelle.

Pourtant, juste avant de s'endormir, il eut une vision de la jeune femme, environnée d'une brassée de roses parfumées. Des dizaines d'angelots aux joues rondes en écartaient doucement les pétales, afin de l'admirer en secret.

Depuis qu'ils avaient embarqué sur le yacht, Nikola vivait un véritable enchantement. Mais chaque jour, elle sentait sa curiosité augmenter. Depuis quelque temps, elle avait acquis la certitude que le marquis avait entrepris ce voyage dans un but très précis. Manifestement, il ne souhaitait pas en parler et elle s'abstint donc d'y faire allusion. Mais elle ne cessait de s'interroger sur les véritables motivations de cette croisière en Méditerranée.

Jimmy lui avait simplement dit que le marquis était un grand collectionneur d'œuvres d'art. Il lui avait également parlé de sa passion pour les chevaux de course. Le marquis avait notamment un faible pour les steeple-chases. Mais il n'avait jamais laissé entendre qu'il avait une quelconque activité politique !

Pourtant, Nikola soupçonnait que le motif de ce voyage n'était autre que la guerre entre la Russie et la Turquie. Certes, l'Angleterre n'était pas impliquée dans le conflit. Mais le Premier ministre et la reine Victoria étaient certainement très préoccupés par l'esprit de conquête dont faisait preuve la Russie.

Celle-ci avait déjà annexé les Balkans. A présent, elle menaçait la Turquie. Nikola se rappela certaines paroles prononcées par le père de Natacha. D'après lui, les Russes considéraient que Constantinople leur appartenait de droit. C'était donc pour cette raison qu'ils se battaient !

Si la Russie prenait Constantinople, l'équilibre des forces en Europe serait gravement menacé.

Tard dans la soirée, ils atteignirent la mer de Marmara et jetèrent l'ancre dans une anse étroite du rivage Nord.

— Nous devrions nous coucher tôt, ce soir, déclara le marquis, aussitôt après dîner.

Nikola lui lança un regard étonné. Bien qu'il ne

lui en dît pas davantage, elle devina qu'il n'avait pas fait cette singulière suggestion par hasard. Ils sortirent sur le pont, afin de faire quelques pas. La pleine lune éclairait le paysage de ses pâles rayons argentés. Balayant les environs du regard, Nikola s'aperçut que le yacht se trouvait dans une petite baie. Sur le rivage, on apercevait une plage de sable, derrière laquelle s'élevait une falaise. Celle-ci n'était pas très élevée et un sentier escarpé courait le long des rochers. C'était un chemin aisément franchissable pour un sportif entraîné.

Nikola remarqua que son compagnon observait également le rivage sombre. Un profond silence régnait autour d'eux. Rien ne laissait deviner qu'au-delà de ces rochers, la guerre faisait rage.

— Oui, il est temps d'aller dormir, dit Nikola. Pensez-vous que nous atteindrons Constantinople demain ?

— Je ne suis pas sûr de vouloir m'y arrêter, répliqua le marquis d'un ton évasif.

Voyant qu'il n'était pas disposé à lui donner plus d'explications, Nikola le salua, comme chaque soir, d'une gracieuse révérence.

— Je vous souhaite une bonne nuit, my lord. Je suis très heureuse de faire ce voyage en votre compagnie.

— Bonne nuit, Nikola.

La jeune fille s'éloigna. Le marquis se promena encore quelques minutes sur le pont, puis il se retira également dans sa cabine, où Dawkins l'attendait. Alors, il ôta son habit de soirée et revêtit un costume sombre et discret, qui lui donna aussitôt l'allure d'un riche marchand russe.

Dawkins lui tendit son revolver chargé et un poignard, qu'il cacha à l'intérieur de sa veste.

— Ne prenez pas de risques, my lord ! Vous savez

qu'on ne peut pas leur faire confiance, à ces satanés Russes !

— Sois sans inquiétude, Dawkins. A en croire les instructions que j'ai reçues, il s'agit simplement de rendre visite à l'un de nos amis.

— Un ami ! Je doute que Monsieur le marquis trouve un ami dans cette partie du monde, grommela Dawkins, la mine renfrognée.

— Ne t'occupe pas de moi. Si jamais il m'arrive malheur, tu emmèneras Miss Tancombe à l'Ambassade britannique, à Athènes.

— Non, my lord ! Je refuse d'envisager pareille éventualité ! Et je vous en conjure ! Rappelez-vous que vous rendrez de plus grands services à votre pays en restant en vie !

Le marquis se surprit à rire. Dawkins ne pouvait s'empêcher de veiller sur lui comme une vieille nourrice ! Il sortit à la hâte de sa cabine et descendit la passerelle qui menait sur le pont. Une chaloupe venait d'être mise à l'eau. Tapis dans l'ombre, deux marins s'apprêtaient à le conduire à terre.

Nikola entendit les pas du marquis le long de la coursive et comprit qu'il allait débarquer.

« Quelle audace ! » songea-t-elle avec admiration. Le marquis n'hésitait pas à braver le danger. La côte était certainement surveillée par les Russes, qui craignaient une attaque de la part des Turcs. Il fallait un courage hors du commun pour tenter de franchir leurs lignes.

Si les renseignements donnés par les journaux étaient exacts, ils s'étaient encore rapprochés de Constantinople ces derniers jours. Un des articles laissait même entendre qu'ils étaient à proximité de San Stefano. Dans quelques heures, le sort de la capitale serait joué.

Soudain, elle sentit son cœur se serrer à la pensée que la vie du marquis était menacée. Terrifiée, elle l'imagina prisonnier, aux mains d'ennemis impitoyables, qui le maltraiteraient, le jetteraient en prison, le tueraient peut-être. Joignant les mains, elle se mit à prier avec ferveur pour qu'il échappe à ses adversaires.

Le marquis était un personnage si fascinant, auquel elle vouait une telle admiration, qu'elle n'aurait pu supporter qu'il lui arrive malheur.

Alors qu'elle priait de tout son cœur, le visage de « La Madone des Roses » lui apparut et elle crut respirer le doux et subtil parfum des fleurs. Elle comprit que la Vierge avait entendu sa prière.

Nikola se leva et tira le rideau qui masquait le hublot. Un flot de lumière pâle envahit sa cabine, éclairant chaque objet d'une délicate lueur argentée. Elle contempla les reflets de la lune sur les flots calmes et la côte qui se découpait au loin. Une brise tiède lui effleura le visage. Aucun son ne lui parvenait, hormis le clapotis des vagues contre les flancs de l'embarcation.

Comment croire que derrière ces collines, une guerre cruelle et bestiale opposait des milliers d'hommes ? Des centaines d'entre eux étaient déjà tombés. Tout cela par la faute des Russes, qui convoitaient de nouvelles terres et voulaient encore étendre leur domination !

Peut-être l'intervention du marquis contribuerait-elle à ramener la paix, songea Nikola, le cœur gonflé d'espoir. Alors, les Russes devraient se contenter de ce qu'ils avaient déjà. Et les Turcs cesseraient de torturer les Bulgares.

Nikola soupira. Lorsque les hommes avaient décidé de se battre, les femmes avaient bien du mal à les en empêcher ! Que pouvaient-elles faire, sinon prier ?

Si le marquis disparaissait, songea-t-elle, soudain envahie par une angoisse irrépressible, elle perdrait beaucoup plus qu'un ami. Il avait surgi dans sa vie de façon inattendue, mais depuis, il était devenu pour elle le centre du monde.

Comment imaginer que moins d'une semaine auparavant, elle ignorait son existence ? Seule à King's Keep, elle attendait alors avec impatience le retour de Jimmy. Et soudain, comme par un simple coup de baguette magique, elle avait été transportée ici, dans la mer de Marmara, entre deux pays en gucrre. Le sort du marquis occupait à présent toutes ses pensées.

Retournant vers son lit, elle invoqua encore « La Madone des Roses » et formula de nouveau une prière à son intention. « Arrêtez la guerre, murmura-t-elle, je Vous en supplie, arrêtez les combats. Et... faites que le marquis revienne sain et sauf. »

Soudain, elle entendit un bruit de pas précipités le long de la passerelle. Le marquis était de retour et se dirigeait vers sa cabine. Mais elle n'entendit pas la porte s'ouvrir. Les pas continuèrent et un instant plus tard, le marquis fit irruption chez elle. Interdite, elle le vit se diriger vers son lit à grands pas. Sans lui donner un mot d'explication, il se débarrassa de sa veste et de sa chemise.

Nikola le regardait, interdite.

D'un mouvement rapide, il ôta ses chaussures, dissimula ses vêtements sous le lit et se glissa souplement dans les draps, à côté d'elle.

— J'ai été repéré, chuchota-t-il. Ils me suivent. Ils peuvent surgir d'un moment à l'autre.

Nikola sentit un bras puissant lui entourer les épaules et le marquis la serra contre lui. Abasourdie, extrêmement troublée par le contact de son corps viril, elle tenta d'articuler une question. Mais elle n'en eut pas le temps.

Brusquement, la porte de la cabine s'ouvrit. Le visage niché contre l'épaule du marquis, elle ne put voir ce qui se passait. Mais elle comprit que deux hommes venaient de pénétrer dans la pièce. L'un d'eux tenait une lanterne à bout de bras et une vive lumière jaune éclaira le lit.

Le marquis resserra son étreinte et demeura quelques secondes immobile. Puis il releva la tête, l'air étonné et furieux.

— Que diable venez-vous faire ici ? s'exclama-t-il d'un ton rude.

Il ne lâchait pas Nikola et celle-ci devina que les hommes pouvaient voir qu'il était torse nu.

— Pardon, Votre Excellence, répondit l'un des deux intrus.

Il parlait lentement et avec un fort accent étranger.

— Nous avoir vu... homme grimper dans ce bateau et...

— Un homme ? s'exclama le marquis. En quoi cela vous concerne-t-il ? Si mes marins ont envie de débarquer, ils sont libres, il me semble ! Je me porte garant de leur conduite à terre.

— Pas un marin, Excellence..., répliqua le Russe.

— Dans ce cas, cherchez ailleurs. Et sortez de cette cabine, vous dis-je !

Le Russe qui avait parlé fit un pas dans leur direction. Nikola tourna imperceptiblement la tête et l'aperçut, à travers les boucles qui retombaient sur son visage. C'était un homme grand et fort, aux traits rudes et à l'allure peu engageante. De toute évidence, il s'agissait du chef. L'autre, qui portait la lanterne, se tenait un peu en retrait.

La gorge nouée, Nikola observa le premier et vit

qu'il tenait un revolver dans sa main. Le manche d'un poignard sortait de sa ceinture. Il ne portait pas d'uniforme, mais un costume sombre et une toque de fourrure. Tout semblait indiquer que cet homme était un personnage important.

— Je vous ai dit de sortir ! s'écria le marquis. Si vous voulez en savoir davantage sur mon équipage, adressez-vous au capitaine.

— Votre Excellence venir à terre... avec moi, répliqua le Russe, imperturbable. Officier aura beaucoup questions à poser.

Le marquis se raidit, tout son corps fut parcouru d'un frémissement. La tête de Nikola glissa sur sa poitrine et elle sentit que les battements de son cœur s'accéléraient. La situation était presque désespérée. Que faire ? se demanda-t-elle, effarée. Elle ne pouvait laisser ces hommes emmener le marquis, sans rien tenter pour le sauver !

Soudain, elle sut comment elle devait agir.

Se redressant légèrement, elle échappa à l'étreinte du marquis, trop étonné pour la retenir. Puis elle s'assit sur le lit, ramenant les draps sur sa poitrine.

A présent, elle pouvait observer le visage du Russe tout à son aise. Dès qu'elle posa le regard sur lui, elle eut la certitude qu'il était dangereux.

Il y eut quelques secondes de silence, pendant lesquelles les trois hommes la considérèrent d'un air interloqué. Puis elle prit la parole en russe. Ses jolis yeux d'un bleu limpide semblaient lancer des éclairs.

— Comment osez-vous me suivre jusqu'ici et intervenir dans cette affaire ? J'ai été envoyée en mission par la Troisième Section et je n'accepterai d'ordres que de notre chef ! Est-ce clair ?

Sans laisser au Russe le temps de répondre, elle lui désigna le marquis d'un geste de la main.

— Heureusement pour nous, ce gentleman ne comprend pas le russe. Mais votre attitude ridicule complique singulièrement ma tâche ! Une telle incompétence est inadmissible dans nos services. Maintenant, partez ! Et excusez-vous auprès de ce monsieur. Expliquez-lui qu'il s'agit d'une erreur.

Éberlués, les deux Russes l'observèrent en silence, hésitant sur la conduite à tenir. Mais Nikola continua ses vitupérations, d'une voix de plus en plus stridente.

Finalement, celui qui était le chef sembla capituler sous l'avalanche de ses menaces.

— Pardonnez-nous, madame. Nous ignorions votre présence ici, bredouilla-t-il d'un air penaud.

— Depuis quand la Troisième Section doit-elle informer les sous-fifres de ses intentions ? demanda-t-elle d'un ton plein de mépris. Vous intervenez mal à propos, dans une affaire dont la portée vous dépasse !

S'interrompant un instant, elle les toisa d'un air dédaigneux. Les deux hommes baissèrent les yeux malgré eux.

— Votre erreur stupide a failli faire échouer un projet de la plus haute importance. Vous êtes deux imbéciles, qui ne voyez pas plus loin que le bout de votre nez !

Les mots qu'elle utilisa en russe étaient plutôt inconvenants dans la bouche d'une dame, mais ils n'en firent que plus d'effet ! Natacha les lui avait enseignés par jeu et Nikola se félicita d'en avoir retenu quelques-uns.

Elle eut l'impression de voir les épaules des deux Russes s'affaisser. Visiblement, elle avait gagné la partie !

— Pardonnez-moi, noble dame. Je... être très désolé. Je... pas savoir vous être là !

— Naturellement, vous ne pouviez pas le savoir ! Maintenant taisez-vous et n'aggravez pas votre cas davantage. Comme je vous l'ai dit, cette affaire m'a été confiée et je tiens à la mener à bien moi-même. Alors, sortez !

Le Russe s'inclina respectueusement devant elle.

— Excusez-vous ! ordonna-t-elle sèchement.

— Pardonnez-moi, Votre Excellence, dit-il en se tournant vers le marquis. Nous avoir fait... erreur. Nous quitter bateau tout de suite.

Sans même attendre la réplique du marquis, il sortit vivement de la cabine, suivi de son subalterne terrifié.

Tremblant de tous ses membres, soudain envahie par une peur insensée, Nikola se tourna vers son compagnon. Mais celui-ci était toujours sur ses gardes. Les Russes étaient partis, mais ils avaient pris soin de laisser la porte entrouverte. C'était une ruse vieille comme le monde !

Cachés dans la coursive, ils devaient tendre l'oreille, espérant surprendre un mot ou une phrase qui les trahirait. Si Nikola parlait, ils étaient perdus !

Il n'y avait qu'un moyen d'empêcher cela, songea le marquis. Et il posa ses lèvres sur celles de la jeune femme.

Celle-ci crut défaillir tant elle fut surprise par son geste. Elle avait agi sur une impulsion. Dans le feu de l'action, les mots lui étaient venus à l'esprit presque malgré elle. Sans même s'en rendre compte, elle s'était glissée dans la peau du personnage, ce qui l'avait rendue extrêmement convaincante.

Mais dès que les Russes eurent quitté la cabine, elle sentit son sang-froid l'abandonner. Incapable de croire au succès de son audacieuse comédie, elle se mit à trembler comme une feuille. Le marquis était donc sauvé ! Grâce à elle, il venait d'échapper à un atroce interrogatoire et peut-être à un sort cruel.

Frissonnante, elle faillit s'évanouir entre ses bras. Mais elle sentit ses lèvres douces et tièdes se poser sur les siennes et s'abandonna à cette merveilleuse étreinte.

Comment un homme aussi séduisant et aussi puissant que le marquis daignait-il jeter un regard sur une créature aussi insignifiante qu'elle ? Cela dépassait ses espérances les plus folles !

Cependant, les bras du marquis entourèrent tendrement ses épaules, son baiser se fit plus insistant. Serrée contre lui, elle sentit les battements accélérés de son cœur. Un délicieux vertige s'empara d'elle. Jamais auparavant elle n'avait éprouvé pareille sensation.

L'univers bascula autour d'elle. Soudain, elle crut avoir quitté le monde ordinaire, pour des régions enchantées et mystérieuses où tout n'était que beauté et perfection. Les anges l'avaient-ils transportée au paradis ? se demanda-t-elle, enivrée.

Comme malgré elle, elle sentit tout son corps s'abandonner contre celui du marquis et une indescriptible émotion l'envahit. Dans ses bras, elle découvrait toute la beauté du monde. Soudain, ses prières étaient exaucées, elle connaissait un bonheur tel qu'elle n'avait jamais osé l'imaginer.

Le marquis l'avait embrassée, de peur que les deux Russes ne surprennent une parole malheureuse. Mais à peine avait-il posé sa bouche sur les lèvres frémissantes de la jeune fille, que son cœur s'était enflammé. C'était le plus merveilleux baiser qu'il ait jamais échangé avec une femme.

Au bout de quelques secondes, il entendit vaguement les deux Russes s'éloigner dans l'étroit couloir qui longeait les cabines. Ses lèvres ne quittèrent pas pour autant celles de Nikola.

Le sang lui battait aux tempes, tous ses sens étaient embrasés par le doux contact de ce jeune corps innocent. Grisé, ébloui par cette sensation délicieuse, il sut immédiatement que son désir dépassait tout ce qu'il avait ressenti jusqu'alors.

Au prix d'un effort surhumain, il releva la tête et regarda autour de lui. La vue de la cabine vide le ramena brusquement à la réalité.

— Ils sont partis ! s'exclama-t-il.

Nikola garda le silence. Fascinée, elle contemplait son visage viril qui se découpait dans la lueur pâle d'un rayon de lune.

Le marquis se leva et saisit les vêtements qu'il avait dissimulés sous le lit. Lorsqu'il reprit la parole, il eut du mal à reconnaître sa propre voix.

— Je vous remercie, Nikola. Vous m'avez certainement épargné un interrogatoire pénible et peut-être pire encore. Ces gens-là sont capables de tout.

— Êtes-vous sûr qu'ils sont... partis ? balbutia-t-elle d'une voix tremblante.

— Tout à fait sûr. A présent, essayez de dormir. Je ne pense pas que d'autres événements surviennent dans la nuit.

Sur ces mots, il tourna les talons et sortit de la cabine, refermant doucement la porte derrière lui.

— Il... il m'a embrassée ! murmura Nikola, le visage tourné vers le ciel étoilé. Il m'a embrassée... et... je l'aime !

7

Nikola ne put trouver le sommeil avant l'aube.

Terrifiée, elle guettait le moindre bruit, craignant un retour subit des deux Russes. Si son stratagème n'avait pas réussi comme elle l'espérait, le marquis courait un immense danger.

Lorsqu'il était sorti de sa cabine, elle l'avait entendu appeler Dawkins. Au bout de quelques minutes, les moteurs s'étaient remis en marche et le yacht avait quitté la baie. Nikola avait poussé un soupir de soulagement.

Cependant, tout péril n'était pas écarté. Les Russes pouvaient fort bien être cachés à bord, prêts à surgir d'un moment à l'autre. Le marquis n'étant pas sur ses gardes, peut-être en profiteraient-ils pour l'arrêter... ou pour le tuer.

Nikola avait été si révoltée par le sort que les Russes avaient fait subir à Natacha et à sa famille, qu'elle vouait une véritable haine à ce peuple cruel. La pensée que le marquis était engagé dans une lutte contre cette nation l'emplissait de terreur.

Ce soir, elle avait réussi à le tirer de leurs griffes. Mais la chance risquait de tourner, songea-t-elle, le cœur empli d'effroi. Bravement, elle résista à la tentation de se précipiter dans sa cabine pour s'assurer qu'il était encore là, en sécurité. En fait, elle n'avait qu'une envie : le supplier de renoncer à poursuivre ce voyage et mettre dès cette nuit le cap sur l'Angleterre.

Il n'y avait aucune raison qu'il risque sa vie davantage, dans une guerre qui ne concernait pas le royaume.

Après s'être ainsi torturée pendant une partie de la nuit, Nikola finit par s'endormir, épuisée.

Lorsque Nikola s'éveilla le lendemain matin, sa cabine était baignée de soleil. Les moteurs étaient arrêtés. Intriguée par le silence qui régnait à bord, elle sauta hors de son lit et se précipita vers le hublot.

Au premier coup d'œil, elle reconnut le port de Constantinople. Une foule bruyante et bariolée se bousculait sur les quais, tandis que du haut des minarets, les muezzins appelaient les fidèles à la prière.

Après avoir rapidement revêtu l'une de ses vieilles robes d'été, elle sortit sur le pont, où un soleil brûlant l'accueillit. D'un pas hésitant, elle se dirigea vers le salon. Elle n'y trouva que Dawkins, occupé à disposer sur la table la vaisselle du petit déjeuner. Il paraissait d'excellente humeur et la salua d'un large sourire.

— Bonjour, Miss Nikola ! Nous avons eu d'étranges visiteurs, la nuit dernière, n'est-ce pas ?

Manifestement, Dawkins était au courant de tout.

— Comment... ces hommes sont-ils montés à bord ?

— Ils étaient six ! Nos deux gardes ne faisaient pas le poids contre eux.

— Sont-ils tous repartis ? balbutia-t-elle d'une voix étranglée.

— Tous ! Nous leur avons glissé entre les doigts. Et d'après M. le marquis, nous vous devons une fière chandelle ! Mon maître s'est rendu à l'ambassade dès la première heure.

Nikola retint son souffle.

— Mais... est-il en sécurité, à présent ? murmura-t-elle. Si jamais les Turcs...

— Ne vous inquiétez pas pour M. le marquis, il ne court aucun risque. Il a envoyé chercher un attelage et un homme en armes l'accompagne.

Tout en parlant, Dawkins lui servit son petit déjeuner et une tasse de thé bien fort. Nikola aurait aimé lui poser encore mille questions, mais elle n'osait pas interroger les domestiques en l'absence du marquis. Elle refréna donc sa curiosité. Cependant, la gorge nouée par l'angoisse, elle ne toucha point aux plats pourtant appétissants que le valet posa devant elle.

Au bout de quelques minutes, elle se leva et regagna le pont afin de guetter le retour du marquis.

Le port de Constantinople s'étalait sous ses yeux, avec ses voiles bigarrées, son animation, les cris des marchands qui longeaient les quais. Le regard de Nikola se posa sur le dôme éblouissant de la mosquée qui dominait la ville. Son anxiété ne s'apaiserait que lorsqu'ils auraient quitté ces régions dangereuses. Tant qu'ils seraient en mer de Marmara, la vie du marquis serait menacée.

Les doigts crispés sur la rambarde, elle pria en silence, suppliant la Vierge de le protéger aujourd'hui encore. A cet instant, elle sentit son amour pour lui la submerger comme une vague brûlante.

Le marquis ne dormit pas plus que Nikola cette nuit-là. Grâce à elle, il avait échappé à une terrible confrontation avec les Russes. Mais sa mission était loin d'être terminée.

Dès qu'ils touchèrent le port de Constantinople, il se précipita à l'ambassade de Grande-Bretagne. Ce qu'il y apprit fut loin de le tranquilliser.

L'ambassadeur le reçut immédiatement et lui confirma ce qu'il soupçonnait depuis la veille. L'armée russe était beaucoup plus avancée qu'on ne le croyait. Dans quelques heures peut-être, Constantinople tomberait aux mains de l'ennemi. Il n'y avait pas de temps à perdre. Le marquis se rendit aussitôt dans l'un des bureaux, afin de télégraphier directement à lord Beaconsfield.

Ce câble télégraphique traversait l'Europe, de Londres à Constantinople. Toutefois, l'ambassadeur affirma au marquis que les Russes n'avaient pu le détourner et qu'il pouvait en toute confiance envoyer un message au Premier ministre.

Le marquis rédigea donc, dans un code secret, une note destinée à lord Beaconsfield.

« Situation dangereuse. Si Grande-Bretagne ne proteste pas énergiquement, Russes prendront Constantinople. Action immédiate indispensable. »

Le Premier ministre comprendrait exactement ce qu'il voulait dire. Il ne restait plus qu'à espérer qu'avec l'aide de la reine, il parviendrait à convaincre le Conseil des ministres de prendre des mesures d'urgence.

Après avoir remercié l'ambassadeur, il regagna le yacht en toute hâte.

Nikola l'attendait sur le pont. Lorsque l'attelage s'arrêta devant la passerelle, il vit le regard de la jeune fille s'illuminer. S'efforçant de ne pas manifester ses propres sentiments, il la salua d'une façon assez formelle, puis se dirigea vers l'avant afin de se concerter avec le capitaine.

Quelques instants plus tard, les moteurs se remirent à tourner. Fendant les flots à une allure incroyablement rapide, le *Sea Horse* repartit vers le large. Le marquis demeura sur le pont jusqu'à l'heure du déjeuner.

Lorsqu'il rejoignit Nikola dans la salle à manger, elle était impatiente de connaître l'exact déroulement des derniers événements. Toutefois, le marquis conserva un silence énigmatique et elle n'osa point lui faire part de sa curiosité.

Ce n'est que lorsque les domestiques eurent quitté la cabine, qu'il s'enquit :

— Comment se fait-il que vous parliez si bien le russe ? Vous ne m'en aviez rien dit.

Nikola lui sourit.

— Vous ne me l'avez jamais demandé. Je hais les Russes, aussi je ne me vante pas de connaître leur langue.

— Vous les haïssez ? s'étonna le marquis. Et pour quelle raison ?

Elle lui raconta alors comment le tsar avait fait exiler en Sibérie son amie Natacha et toute sa famille.

— Est-ce votre amie, qui vous a parlé de la Troisième Section ?

Le marquis avait été stupéfait de l'entendre adresser aux deux Russes ces paroles menaçantes. Comment cette innocente petite Anglaise, qui ne sortait jamais de son manoir, pouvait-elle connaître la police secrète du tsar ? Cela dépassait son entendement !

— Je sais qu'il s'agit d'un réseau d'agents secrets qui ne reçoivent leurs ordres que du tsar. Natacha m'a raconté que ce groupe d'espions a été créé par le tsar Nicolas 1er, qui en a confié le commandement à son ami, le comte Benokendorf.

Le marquis haussa les sourcils, de plus en plus étonné. Sa petite compagne de voyage était mieux informée que certains hommes politiques britanniques.

— Ce sont eux, poursuivit Nikola, qui ont poussé le tsar à exiler le père de Natacha. Je les soupçonne d'avoir incité les parents de mon amie à retourner en Russie, sous prétexte d'obtenir la grâce du souverain. Mais aussitôt arrivés, ces pauvres gens ont été déportés en Sibérie, probablement à l'instigation de ces mêmes services secrets.

— Le sort de vos amis a dû vous bouleverser et je le comprends fort bien. Mais... vous avez agi brillamment hier soir. Quel panache ! J'avoue avoir admiré la façon dont vous vous êtes débarrassée de ces deux hommes !

— Je... je suis sûre que j'ai été aidée par... une intervention divine. J'avais si peur que ces hommes vous emmènent et... que vous disparaissiez !

— Ma disparition vous aurait donc causé de la peine ?

Nikola baissa les yeux. Comment avouer au marquis ce qu'elle ressentait ? Elle l'aimait tant, que s'il mourait... elle n'aurait plus aucun désir de vivre et souhaiterait mourir avec lui. Devinant qu'un tel aveu plongerait le marquis dans l'embarras, elle tenta de se ressaisir.

« Il ne saura... jamais que je l'aime... jamais ! » se promit-elle en son for intérieur.

Comme s'il ne tenait pas vraiment à obtenir une réponse à sa question, son compagnon relança la conversation sur des sujets moins personnels. Peu après, il la quitta et remonta sur le pont. Le soir, après dîner, il déclina l'offre de Nikola de faire une partie d'échecs et s'isola ostensiblement, se plongeant dans la lecture d'un livre sur les œuvres d'art orientales.

Nikola songea tristement qu'il commençait à se

lasser de sa présence. Si le yacht maintenait une telle vitesse depuis le matin, c'était uniquement parce que le marquis avait hâte de regagner l'Angleterre ! Rester assise en silence près de lui, alors qu'il l'ignorait, était une torture insupportable. Elle se retira donc très tôt dans sa cabine.

Malgré sa fatigue, elle resta encore un long moment éveillée, pensant à l'étrange attitude du marquis. Et lorsqu'elle s'endormit enfin, son visage était inondé de larmes.

Les jours suivants, la détresse de Nikola ne fit qu'empirer. Chaque fois que le marquis lui adressait la parole, son cœur battait à tout rompre. Tout son être était irrésistiblement attiré vers lui. Mais il observait une réserve glaciale qui la laissait désemparée, tremblante.

Ne comprenant pas la raison de cette soudaine froideur, Nikola passa des heures à s'interroger et à se torturer. Finalement, elle en arriva à la conclusion qu'il n'y avait qu'une seule explication possible. Le marquis regrettait de l'avoir embrassée et craignait que cet acte inconsidéré, commis dans un moment d'égarement, ne fasse naître en elle un espoir non justifié.

Pendant des journées entières, elle déambulait seule sur le pont, alors que le marquis se retranchait dans sa cabine. Si seulement elle pouvait rester près de lui, comme autrefois ! Manifestement sa présence, même discrète, l'importunait. Pendant les repas, il mangeait en silence, n'échangeant pas une seule parole avec elle et évitant même de croiser son regard.

« Que s'est-il passé ? Qu'ai-je bien pu faire de si répréhensible ? » se demandait-elle, la gorge serrée, incapable de goûter aux mets délicieux qu'on leur servait.

Le marquis avait fait ce voyage pour une seule et unique raison : découvrir où en était exactement le conflit entre les Russes et les Turcs. Visiblement, sa mission était accomplie et il n'avait plus qu'un seul désir : rentrer chez lui au plus tôt.

Sans doute comptait-il avec impatience les heures qui le séparaient encore de la belle lady Sarah, ou d'une autre jeune femme dont il souhaitait faire la conquête.

« Il n'a plus besoin de moi, se dit tristement Nikola. Je lui suis désormais inutile... et il veut... se débarrasser de moi le plus vite possible. »

Le visage caché dans son oreiller, elle pleura à chaudes larmes.

Cependant, elle prit une décision. Puisque le marquis ne désirait plus la voir, il ne la trouverait pas sur son chemin. Il était hors de question qu'elle s'accroche à lui ! Dawkins lui avait raconté qu'un grand nombre de femmes agissaient ainsi et que cela l'exaspérait.

— Elles sont aussi tenaces que du lierre après un arbre, Miss Nikola ! lui expliqua-t-il tout en mettant de l'ordre dans la cabine. Et elles voudraient bien se servir de moi pour arriver à leurs fins !

— Vraiment ? Mais comment cela ? s'enquit Nikola.

Tout en lui posant la question, elle se reprocha cette indiscrétion. Mais Dawkins adorait parler de son maître. Il avait pour lui une admiration sans bornes et une telle affection, qu'il se comportait parfois avec lui comme une vieille gouvernante avec son protégé.

— Eh bien, quelquefois, répondit-il avec un sourire malicieux, elles me glissent une petite pièce d'or et me disent : « Si vous parlez gentiment de moi à votre maître, vous en aurez beaucoup d'autres comme celle-ci ! »

Dawkins éclata de rire.

— On appelle cela de la corruption, n'est-ce pas, Miss Nikola ? Mais je serais un bel imbécile, si je n'acceptais pas toutes ces jolies pièces d'or !

— Et... faites-vous vraiment ce qu'elles vous demandent ?

— J'ai toujours dit franchement au marquis le fond de ma pensée ! s'exclama Dawkins. Et neuf fois sur dix, il est d'accord avec moi.

Nikola fut très étonnée et choquée, par ce que le valet du marquis lui avait raconté. Comment des dames de la bonne société pouvaient-elles s'abaisser ainsi ? C'était dégradant !

« L'idée de corrompre un valet afin qu'il dise du bien de moi à son maître ne m'aurait jamais effleurée ! » songea-t-elle, indignée.

C'était au marquis et à lui seul de prendre ses décisions. Pour la centième fois de la journée, Nikola poussa un soupir déchirant.

« Le marquis est las de ma compagnie », se dit-elle, les yeux embués de larmes.

Le *Sea Horse* atteignit Athènes en un temps record. A deux heures du matin, ils jetèrent l'ancre dans le port. Lorsque Nikola s'éveilla au petit matin, elle comprit qu'ils étaient arrivés à destination. Les moteurs s'étaient tus et le calme régnait sur le pont.

Alors, elle joignit les mains et adressa à « La Madone des Roses » une prière, lui demandant que le marquis prolonge quelque temps encore leur séjour dans la cité antique.

« Ce serait si merveilleux de découvrir la Grèce... avec lui. »

Son plus cher désir était qu'il lui fasse visiter l'Acropole. Elle l'imaginait, lui racontant la grandeur de ce pays, dont l'art et la pensée avaient influencé le monde entier. Tel un dieu grec descendu de l'Olympe, il la guiderait dans cette fascinante exploration du monde antique.

En fait, Nikola aurait aimé que leur voyage se prolonge le plus longtemps possible. Même le long trajet en train représentait pour elle une perspective enchantée. Mais son cœur se serra à la pensée que chaque minute qui passait la rapprochait du moment où elle devrait dire adieu à son bien-aimé et le quitter pour toujours. Pour l'instant, elle connaissait encore le bonheur d'être près de lui !

Nikola se leva et commença de se préparer. Elle allait s'habiller, lorsqu'on frappa à la porte de sa cabine. Il ne pouvait s'agir que de Dawkins. Enfilant à la hâte la robe de chambre en soie qui avait appartenu à sa mère, elle lui dit d'entrer.

— M. le marquis vous présente ses compliments, Miss Nikola, et vous demande de prendre votre chapeau, car vous irez à terre immédiatement après le petit déjeuner.

— M. le marquis va-t-il m'emmener avec lui ? demanda-t-elle avec animation.

— C'est ce qu'il m'a dit, Miss Nikola. Un attelage doit vous conduire tous les deux à l'ambassade de Grande-Bretagne.

Dawkins sortit et referma la porte derrière lui. Nikola s'habilla à la hâte. Mais soudain, une idée terrifiante lui traversa l'esprit. Pétrifiée, elle contempla longuement l'image que lui renvoyait le miroir, incapable de nouer les rubans de son chapeau de paille. Pourquoi cette escale imprévue à Athènes ? Le marquis avait-il l'intention de la confier à l'ambassadeur ? Peut-être souhaitait-il continuer son voyage seul dans les wagons de la reine, tandis que l'ambassadeur la ferait rapatrier à Londres par un train différent.

Une crainte terrible s'empara d'elle, la faisant frissonner de la tête aux pieds. Le soleil avait disparu et de gros nuages lourds s'amoncelaient, obscurcissant le ciel. L'orage menaçait d'éclater d'une minute à l'autre.

Lentement, elle boutonna le col de sa robe, celle-là même qu'elle portait en quittant Tilbury. Elle était démodée et usée, les volants de dentelle étaient même abîmés par endroits. Mais elle n'en avait pas d'autres.

« Qu'importe ! se dit-elle avec un haussement d'épaules désabusé. Le marquis ne la remarquera même pas. De toute évidence, je ne l'intéresse plus ! »

Un tel sentiment de détresse l'envahit, qu'elle eut l'impression que « La Madone des Roses » elle-même l'avait abandonnée. Lorsqu'elle pénétra dans le salon, celui-ci était vide. Seul un laquais l'attendait, afin de lui servir son petit déjeuner.

— Où se trouve M. le marquis ? ne put-elle s'empêcher de lui demander.

— M. le marquis a déjà déjeuné, Miss. Il est descendu sur le quai afin de donner ses ordres.

Craignant de le faire attendre, Nikola avala rapidement une tasse de thé et se contenta de grignoter un toast. Puis elle saisit ses gants de dentelle et sortit. La première chose qu'elle vit sur le quai fut un lourd carrosse doré marqué aux insignes royaux. Cherchant le marquis des yeux, elle le découvrit près d'un fiacre de location, occupé à donner des instructions à Dawkins et au capitaine.

Nikola hésita, puis franchit la passerelle. Le marquis vint au-devant d'elle, la salua et l'aida à monter dans le carrosse de l'ambassade. Ils roulaient déjà depuis plusieurs minutes, quand il déclara d'un ton grave :

— J'ai une question à vous poser, Nikola.

La jeune fille se tourna vers lui. Ses lèvres tremblaient et elle ne put dissimuler son appréhension. Le marquis observa longuement son visage, avant de lui demander :

— M'aimez-vous, Nikola ?

Elle s'attendait si peu à cette question, qu'elle demeura un instant pétrifiée, incapable d'articuler une parole. Une légère rougeur envahit ses joues et elle baissa timidement les yeux. Enfin, d'une voix qu'elle maîtrisait à peine, elle murmura :

— O... oui.

— Je savais que je ne pouvais pas me tromper, répondit le marquis.

Puis, détournant la tête, il sembla s'absorber dans le spectacle animé de la rue qui défilait sous leurs yeux. Désespérée, Nikola se demanda si elle pourrait jamais soutenir son regard de nouveau. Sans doute éprouvait-il de la pitié pour elle. C'était bien pire que d'être ignorée ! se dit-elle avec amertume.

Enfin, ils atteignirent les grilles de l'ambassade, devant lesquelles flottait le drapeau britannique.

— Ne vous étonnez d'aucune parole que je prononcerai devant l'ambassadeur. Contentez-vous d'acquiescer, lui ordonna le marquis d'un ton sans réplique.

Nikola aurait bien voulu qu'il lui explique la raison de tant de mystères, mais elle n'eut pas le temps de lui poser la moindre question. Le carrosse s'immobilisa. Un aide de camp surgit devant le portail et vint à leur rencontre.

Lorsqu'ils descendirent de la voiture, les sentinelles présentèrent les armes et l'aide de camp s'inclina respectueusement devant eux. Puis il les conduisit dans le bureau où l'ambassadeur attendait de les recevoir. C'était un homme de belle prestance, aux cheveux grisonnants et à l'allure digne. Lorsqu'elle rencontra son regard empli de bonté, Nikola ne put s'empêcher de songer à son propre père. Elle y vit un heureux présage et s'en trouva aussitôt réconfortée.

— Je suis enchanté de cette visite, my lord, annonça-t-il au marquis. Mais j'ignorais que vous vous trouviez en Grèce. Je ne l'ai appris que lorsqu'on m'a rapporté que les voitures royales étaient à la gare !

— Certaines affaires m'ont contraint de me rendre à Constantinople, répliqua le marquis. Puis-je vous présenter Miss Tancombe ? Je l'ai rencontrée dans cette ville qui est presque en état de siège et elle n'avait aucun moyen de s'en échapper !

L'ambassadeur serra la main de Nikola.

— Vous avez dû trouver cette situation très éprouvante, miss Tancombe ?

Nikola sourit, mais sans lui laisser le loisir de répondre, le marquis reprit la parole.

— Maintenant que j'ai sauvé cette jeune fille, je désire l'épouser au plus vite !

Nikola se figea sous l'effet de la surprise, tandis que l'ambassadeur jetait à son interlocuteur un coup d'œil étonné. Mais elle eut à peine le temps de se demander si elle avait bien entendu. D'un geste plein d'autorité, le marquis lui saisit la main et la serra doucement dans la sienne. La jeune femme sentit son cœur bondir dans sa poitrine. Soudain, un soleil si éblouissant envahit la pièce, qu'elle en fut aveuglée. Tout se mit à tourner autour d'elle et l'espace d'un instant elle craignit de s'évanouir.

— Naturellement, my lord, votre mariage peut-être célébré rapidement. Je vais envoyer chercher l'aumônier.

Ces paroles lui parvinrent comme dans un rêve et elle douta un instant de la réalité de la situation.

— Je vous remercie, répondit le marquis. A présent, je souhaiterais m'entretenir avec vous de la situation en Turquie. Ma fiancée pourrait-elle se reposer dans une autre pièce ?

— Mon épouse sera ravie de faire la connaissance de Miss Tancombe !

L'ambassadeur se tourna vers Nikola et lui sourit d'un air paternel.

— Je vais vous conduire jusqu'à elle, si vous voulez bien me suivre.

Nikola rencontra le regard du marquis. Celui-ci lui fit un imperceptible signe de tête.

— Fiez-vous à moi, murmura-t-il avec un doux sourire.

L'ambassadeur ouvrit la porte et Nikola sortit, encore abasourdie par la tournure qu'avaient pris les événements. Traversant un large vestibule, ils pénétrèrent dans un salon gai et agréablement meublé. L'ambassadrice leva la tête et repoussa son ouvrage de tapisserie. Elle posa sur Nikola un regard avenant.

— Cette pauvre jeune fille était prisonnière à Constantinople. Le marquis de Ridgmont l'a délivrée et... il désire l'épouser au plus vite, lui expliqua son mari en souriant. L'aumônier doit déjà être en route et la cérémonie aura lieu dès son arrivée. Je suis sûr qu'entre-temps, ma chère, vous veillerez sur cette jeune personne comme sur votre propre fille.

— Naturellement ! s'exclama-t-elle aussitôt. Mon enfant, quelle joie de voir ce mariage célébré ici !

Vous avez dû vivre des moments extrêmement pénibles, à Constantinople, cernés par ces affreux Russes !

— Je... j'étais en compagnie du marquis... et c'était merveilleux, balbutia Nikola.

— Et vous avez décidé de vous marier ! C'est terriblement romantique.

L'ambassadrice marqua une pause et dévisagea Nikola.

— Je suppose, ma chère, que vous avez emporté très peu de bagages ?

— Très peu, en effet, répondit-elle, honteuse de l'aspect défraîchi de ses vêtements.

— Nous allons arranger cela. Voyons... une de mes filles est à peu près de votre taille.

Le visage de Nikola s'illumina. Elle désirait tant être belle et élégante pour le marquis ! Comment pourrait-elle lui faire honneur, dans une robe déjà vieille de quatre ans et complètement démodée.

— Venez avec moi au premier étage ! déclara l'ambassadrice, en quittant vivement le salon.

Nikola la suivit, persuadée qu'elle vivait un rêve. Ne risquait-elle pas de s'éveiller d'un moment à l'autre ?

L'ambassadeur regagna en toute hâte le bureau où l'attendait le marquis.

— Voilà, mon cher ! Soyez tranquille, Miss Tancombe ne pourrait être en de meilleures mains qu'avec mon épouse. Permettez-moi de vous féliciter. C'est certainement la plus jolie jeune femme que j'aie jamais vue !

— Je vous remercie.

— Maintenant, je vous avoue que... je suis impatient de savoir ce qui se passe à Constantinople.

— J'espérais que vous auriez peut-être des informations plus récentes que les miennes. Lorsque nous avons quitté Constantinople, l'issue de ce conflit ne tenait qu'à un fil.

Le visage de l'ambassadeur s'éclaira.

— Dans ce cas, les nouvelles que j'ai à vous transmettre vous rassureront. J'ai appris ce matin que l'Amiral Thornby a reçu l'ordre de faire franchir le détroit des Dardanelles à ses six bâtiments de guerre basés dans la baie de Besitka.

Le marquis se renversa dans son fauteuil avec soulagement.

— C'est exactement ce que j'espérais entendre! s'exclama-t-il.

— Le tsar comprendra sûrement qu'il ne peut agir sans tenir compte de l'Angleterre. Notre pays devra être consulté sur les termes d'un armistice entre les nations en guerre.

— Je souhaite de tout mon cœur que vous ayez raison.

— D'après moi, le grand-duc Nicolas hésitera à engager la Russie dans un conflit avec l'Angleterre. L'armée russe n'est pas prête à se mesurer avec nous.

Le marquis songea avec une intense satisfaction que sa mission avait pleinement réussi. Le télégramme adressé à lord Beaconsfield avait obligé le Conseil des ministres à réagir.

— J'ai appris de source sûre et je pense que vous ne me contredirez pas, poursuivit l'ambassadeur, que les coffres de la Russie sont vides. Leur armée est épuisée.

Le marquis observa un silence prudent.

— Je ne vous demanderai pas, my lord, quel rôle vous avez joué dans cette affaire, déclara l'ambassadeur. Cela ne me concerne pas. Mais aujourd'hui, nous avons toutes les raisons de nous réjouir. Nous célébrons tout à la fois la défaite des Russes... et votre mariage !

Lorsque Nikola descendit une heure plus tard, avec l'ambassadrice, on était déjà venu l'avertir par deux fois que l'aumônier était arrivé et qu'il n'attendait plus qu'elle pour commencer la cérémonie.

— Laissez-le attendre, décréta fermement l'ambassadrice.

— Mais... le marquis sera sans doute furieux.

— Il peut attendre, tout comme l'aumônier. Quand il vous verra aussi ravissante, ma chère, il pensera que cela valait bien la peine de patienter quelques minutes de plus.

Lançant un coup d'œil à l'image que lui renvoyait le miroir, Nikola pensa avec un sourire amusé que le marquis n'allait pas la reconnaître !

L'ambassadrice lui avait prêté une robe de soirée blanche appartenant à l'une de ses filles. Le vêtement lui seyait à la perfection et la femme de chambre n'avait eu qu'à resserrer légèrement la taille. C'était un adorable fourreau en mousseline de soie, garni d'une cascade de volants qui traînaient gracieusement jusqu'à terre. Une écharpe de mousseline diamantée légèrement transparente recouvrait ses épaules.

La femme de chambre de l'ambassadrice noua sa lourde chevelure en chignon et à l'aide d'un morceau de tulle, fabriqua un voile de mariée qu'elle disposa sur ses boucles dorées. L'ambassadrice lui prêta une couronne de diamants, qui maintenait le voile comme un diadème.

— Vous êtes magnifique ! s'exclama-t-elle, fascinée par la beauté éthérée de la jeune fille.

— Quelle splendide mariée ! murmura la femme de chambre en ouvrant la porte du vestibule.

Accompagnée de l'ambassadrice, Nikola descendit lentement les marches d'un monumental escalier de marbre. L'aide de camp lui lança un coup d'œil admiratif avant d'ouvrir précipitamment les portes du salon où le marquis et l'ambassadeur commençaient de s'impatienter. A son entrée, ils se levèrent et Nikola s'avança timidement vers eux. Le marquis la contempla longuement en silence.

— Vous êtes merveilleuse ! murmura-t-il enfin.

— Voilà la réaction que j'espérais ! s'exclama l'ambassadrice, ravie.

— M. l'aumônier nous attend ! fit remarquer l'ambassadeur.

Le marquis saisit un bouquet de roses blanches qui venait d'être livré et le tendit à Nikola. Celle-ci en respira avec délices le doux parfum et remercia « La Madone des Roses » qui les avait réunis. Le marquis croisa son regard et elle comprit qu'il n'y aurait jamais de mots entre eux. Le cœur battant à tout rompre, elle prit le bras qu'il lui offrait.

L'ambassadeur et son épouse les guidèrent vers la chapelle où l'aumônier les attendait, déjà vêtu de son surplis et prêt à célébrer la messe du mariage. Un organiste invisible jouait un air lent et solennel. Lorsque le marquis conduisit Nikola jusqu'à l'autel, une émotion indicible la submergea. A cet instant, elle eut la certitude que ses parents étaient près d'elle et partageaient son bonheur.

Le prêtre lut dans la Bible la formule de mariage et le marquis passa au doigt de Nikola sa chevalière marquée aux armes des Ridgmont. Aux yeux de Nikola, cela représentait bien plus qu'un bijou : c'était une promesse d'amour partagé, un lien indestructible qui les unissait pour toujours.

Tous deux s'agenouillèrent et le prêtre leur donna sa bénédiction.

Le marquis l'aimait ! se répétait Nikola, incrédule, suffoquée par cet immense bonheur. « La Madone des Roses » avait entendu ses prières...

La cérémonie terminée, ils quittèrent la chapelle et le marquis l'entraîna vers les grilles de l'ambassade, où le carrosse royal les attendait.

— Acceptez nos meilleurs vœux de bonheur ! déclara l'ambassadeur.

— Je tiens à vous exprimer ma reconnaissance pour tout ce que vous avez fait pour nous, répliqua gravement le marquis.

L'ambassadrice embrassa Nikola.

— Vous avez beaucoup de chance, mon enfant. Et votre mari également ! Il a certainement épousé une des plus belles femmes d'Angleterre. Je suis sûre que vous serez pour lui une épouse parfaite !

— Puissiez-vous dire vrai, madame.

— Un valet me ramènera mon diadème avec l'attelage. Mais je vous offre cette robe. Ce sera mon cadeau de mariage !

— Réellement, madame ? s'exclama Nikola, au comble de la joie.

L'ambassadrice se mit à rire.

— L'usage voudrait que je vous offre un vase en argent ! Mais je pense que cette robe vous rendra de plus grands services, en attendant de regagner l'Angleterre ! J'ai également demandé à ma femme de chambre de vous donner quelques-unes de mes toilettes, afin de remplacer celles que vous avez perdues.

— Oh, pourrai-je jamais vous remercier de toutes vos gentillesses ?

L'ambassadrice l'embrassa encore une fois et le marquis l'aida à monter dans l'attelage. Dès qu'ils se furent mis en route, il lui prit la main et la porta doucement à ses lèvres.

— Je... ne peux croire que tout ceci est vrai, murmura-t-elle, étourdie par un si grand bonheur.

— Vous ne rêvez pas, Nikola, répondit le marquis. Vous êtes ma femme, à présent.

Quelques minutes plus tard, ils atteignirent le yacht. Nikola ne put retenir un petit cri de surprise. En leur absence, les marins l'avaient entièrement décoré de drapeaux et de banderoles multicolores. Des bouquets de roses étaient suspendus à la passerelle et des guirlandes de lys blancs couraient tout autour du pont. A leur arrivée, les marins formèrent une haie d'honneur et le capitaine se joignit à eux pour entonner les traditionnels « hourras » de bienvenue.

Après avoir remercié son équipage, le marquis entraîna sa jeune épouse dans le salon. Celui-ci était également pavoisé en l'honneur de leur mariage et une énorme corbeille de lys était posée au centre de la table. Ayant confié le précieux diadème aux laquais de l'ambassade, le marquis aida Nikola à retirer son voile de mariée. Alors, les moteurs se mirent en route et le yacht reprit la mer.

Le marquis offrit à Nikola une coupe de champagne.

Quelques minutes plus tard, les domestiques leur servirent un déjeuner raffiné, composé de mets légers et délicats. Cependant, la jeune femme était bien trop émue pour profiter de ce délicieux repas. Le marquis était assis à côté d'elle et plus rien ne pourrait les séparer ! C'était sa seule pensée.

Il lui parla des navires de guerre qui en ce moment même franchissaient le détroit des Dardanelles, sans toutefois lui avouer qu'il était responsable de cette intervention des forces britanniques.

Mais Nikola était bien trop fine pour ne pas deviner quel rôle il avait joué dans cette affaire.

« Il est si beau... si intelligent..., songea-t-elle, émerveillée. Comment peut-il m'aimer, moi qui suis si insignifiante ? »

Après le repas, lorsque les domestiques quittèrent la salle à manger, le marquis se pencha vers elle et lui prit la main.

— J'ai tant de choses à vous dire, ma chérie ! Nous devrions aller dans notre cabine.

Éperdue de bonheur, encore étourdie par les événements précipités de la matinée, Nikola se laissa guider le long de la passerelle. Elle croyait vivre un rêve enchanté et craignait à tout moment d'en briser le charme et de se retrouver seule et triste dans sa cabine, comme la veille.

Le marquis ouvrit la porte de sa chambre et elle s'immobilisa sur le seuil, ne pouvant en croire ses yeux. La pièce était entièrement décorée de roses. Des roses en guirlandes descendaient du plafond, de longues jardinières étaient posées sur les meubles. Toutes avaient des nuances de rose différentes. Seules celles qui encerclaient le lit étaient blanches.

— Quelle idée merveilleuse ! s'exclama-t-elle. C'est ravissant !

— Je ne vous offrirai jamais d'autres fleurs que des roses, mon amour. Je sais que vous avez souvent prié la Madone des Roses. Et particulièrement lorsque j'étais en danger.

— C'est vrai... mais je pensais que...

Incapable de continuer, elle baissa les yeux.

— Que pensiez-vous ?

— Que... ma présence vous ennuyait, murmura-t-elle dans un souffle.

— M'ennuyer ? Alors que mon seul désir, après

avoir quitté Constantinople, était de vous serrer dans mes bras et de vous embrasser !

— Alors... pourquoi vous êtes-vous montré si distant ? Je ne comprends pas...

Le marquis l'enlaça tendrement et la fit asseoir sur le lit, à côté de lui.

— Ma chérie, quand je vous ai embrassée, après le départ de ces deux espions russes, j'ai découvert que je vous aimais, comme je n'avais jamais aimé aucune autre femme auparavant.

L'attirant contre lui, il déposa un léger baiser sur sa joue satinée avant de poursuivre :

— Je savais que vous m'aimiez aussi et que nous étions destinés l'un à l'autre depuis toujours.

— Pourquoi... ne m'avoir rien dit ?

— Parce que je vous avais entraînée dans cette croisière malgré vous. J'avais besoin d'une compagne, afin de sauver les apparences.

Il marqua une pause et lui sourit doucement.

— Je n'avais pas imaginé un instant que je tomberais amoureux de vous. Lorsque c'est arrivé, j'ai compris immédiatement que vous étiez la femme que j'attendais depuis toujours et que je désirais épouser.

Nikola se blottit contre lui et nicha son visage au creux de son cou.

— Il était hors de question que vous deveniez ma maîtresse. Je voulais que vous restiez pure et innocente, jusqu'à ce que j'aie pu glisser l'anneau du mariage à votre doigt.

— Comment pouvais-je deviner ce que vous ressentiez ? murmura Nikola d'une voix étranglée.

— Mon amour... mon désir pour vous était si violent, que j'aurais voulu vous embrasser et vous posséder. Mais... je voulais que vous deveniez tout d'abord mon épouse.

A présent, Nikola comprenait et elle était reconnaissante au marquis d'avoir agi comme il l'avait fait.

— Maintenant, vous êtes à moi, chuchota-t-il de sa voix grave et chaude. J'ai tant attendu ce moment. J'ai passé des nuits entières éveillé, pensant à vous et au désir que j'avais de vous tenir entre mes bras. Je n'osais plus vous regarder, de peur de ne pouvoir résister à la tentation de vous embrasser.

— Je... vous aime ! balbutia Nikola, les larmes aux yeux.

— Et moi aussi, ma chérie. Je vous aime.

Les lèvres du marquis se posèrent doucement sur les siennes. Il l'embrassa délicatement, comme si elle n'était qu'une poupée de porcelaine, infiniment précieuse. Les battements de son cœur s'accélérèrent et une vague brûlante le traversa, tandis que sa bouche se faisait plus possessive et qu'il resserrait son étreinte autour de Nikola.

La jeune femme se sentit défaillir et s'abandonna tout entière contre lui, à peine consciente d'être soulevée dans ses bras et déposée sur le sol. Avec une infinie douceur, il défit les boutons de nacre de la robe blanche qui glissa jusqu'à terre. Puis il allongea Nikola sur le lit.

S'apercevant alors qu'elle était nue, offerte à son regard, elle rosit de confusion et ramena le drap sur sa poitrine. Mais en un instant, il l'eut rejointe, s'allongea à côté d'elle et l'attira dans ses bras.

Blottie contre son torse, elle se rendit compte que son cœur battait aussi fort que le soir où, poursuivi par les Russes, il s'était réfugié près d'elle. Mais ce n'était plus la peur qui l'animait, seulement l'amour qu'il ressentait pour elle.

Levant les yeux vers lui, elle admira son beau visage viril penché sur le sien.

— Suis-je réellement votre femme ? demanda-t-elle à mi-voix.

— C'est ce que j'ai l'intention de vous prouver, mon amour.

— Dieu nous a réunis et nous offre cet amour céleste. Dieu... et « La Madone des Roses », qui vous a protégé.

— C'est elle qui vous a menée vers moi. Nous mettrons ce tableau dans notre chambre, à Ridge. Et chaque fois que nous le regarderons, nous remercierons la Vierge du bonheur qu'elle nous a donné.

Nikola passa les bras autour de son cou.

— Quel merveilleux mari vous êtes ! Vous comprenez si bien...

— Je vous ai cherchée toute ma vie sans le savoir, Nikola. Maintenant que je vous ai trouvée, je ne vous laisserai plus jamais partir. Vous êtes à moi, je vous aimerai toujours et je ne me lasserai jamais de vous le prouver.

Il prit ses lèvres et l'embrassa avec fougue. La fièvre du désir s'empara de leurs corps et ils sombrèrent ensemble dans un océan de bonheur indicible.

Longtemps après, Nikola ouvrit les yeux. Les rayons du soleil couchant embrasaient l'horizon. Dans quelques minutes à peine, le crépuscule tomberait et des millions d'étoiles illumineraient le ciel de leurs rayons argentés.

— Je vous aime, lui chuchota-t-elle pour la centième fois.

— Vous êtes... tout ce que j'ai toujours espéré découvrir chez une femme. Vous êtes merveilleuse.

Il sourit tendrement et ajouta :

— J'ai un cadeau pour vous. Mais il vous faudra patienter jusqu'à Paris pour le reste.

— Paris ? Irons-nous à Paris ?

— Bien sûr, ma chérie ! Nous y achèterons un trousseau pour vous. Des dizaines de robes, dans lesquelles vous serez encore plus belle ! En fait... je crois que je vous préfère dans le plus simple appareil ! ajouta-t-il en riant.

Nikola sentit ses joues s'empourprer.

— Vous me faites rougir, murmura-t-elle d'un ton tendrement accusateur.

Le marquis la serra contre son cœur.

— J'adore vous voir rougir. Mais puisque grâce à l'ambassadrice vous avez déjà quelques jolies robes, nous pourrons nous arrêter à Venise.

— Oh ! J'ai toujours rêvé de voir Venise !

— Nous ne reprendrons le train que là-bas. Et cette fois... il n'y aura pas de salon pour séparer votre chambre de la mienne.

— Dormirons-nous ensemble dans le lit de la reine ?

— Peu importe le lit, tant que je vous tiens dans mes bras, ma bien-aimée !

Il déposa un baiser au creux de son cou et sa main glissa sur la peau nacrée de sa gorge. Mais soudain, il se rappela sa promesse et se redressa.

— Voici le cadeau que je vous ai promis, annonça-t-il en ramassant un journal qui était tombé au sol.

Nikola lui lança un coup d'œil surpris. C'était un numéro du « Morning Post », déjà vieux d'une semaine. Son mari lui désigna l'article qu'il désirait qu'elle lise.

« LA MORT TRAGIQUE D'UNE GRANDE DAME »

« Lady Hartley, veuve de lord Hartley de Melcombe, a succombé lors d'un accident, non loin de son manoir, dans le comté d'Essex.

« Lady Hartley se trouvait dans son carrosse, lorsqu'un essieu du véhicule s'est brisé. L'un des chevaux de l'attelage a été blessé. Fou de douleur, il s'est lancé au galop, sans que le cocher ne parvienne à l'arrêter. Cette course s'est terminée au bas d'une pente, où le carrosse finit par se retourner. Le cocher n'a eu à souffrir que de quelques contusions.

« Par contre, lady Hartley a été écrasée sous le véhicule. Transportée dans une maison du voisinage, elle y est morte peu après.

« Avant de mourir, lady Hartley a eu cependant le temps de rédiger un nouveau testament, par lequel elle lègue son chat Snowball, sa maison, ainsi que tous ses biens à son neveu sir James Tancombe, dixième baronnet de King's Keep, dans le Hertfordshire.

« Sir James se trouvant actuellement à l'étranger, les hommes de loi s'efforcent d'entrer en contact avec lui. »

Nikola poussa un petit cri de surprise et éclata de rire.

— Snowball ! Jimmy a offert Snowball à Tante Alice ! C'est pour cette raison qu'elle a fait de lui son héritier !

Radieuse, elle se tourna vers le marquis.

— Finalement, Jimmy n'a pas réellement volé « La Madone des Roses » ! Ce tableau lui appartient, à présent.

— Ah non ! Ce tableau est à nous, ma chérie. Il est l'emblème de notre bonheur et nous ne nous en séparerons jamais.

— Oui... il est à nous, admit Nikola avec un sourire.

Puis elle déposa le journal près du lit et leva vers son mari un visage illuminé de bonheur.

Composition Eurotypo B-Embourg
Achevé d'imprimer en Europe (France)
par Brodard et Taupin à la Flèche (Sarthe)
le 9 juin 1993. 6109H-5
Dépôt légal juin 1993. ISBN 2-277-23488-5

Éditions J'ai lu
27, rue Cassette, 75006 Paris
Diffusion France et étranger : Flammarion